第二章　描写と人称と視点

第五章　投稿

はじめに

私は作家として仕事をするかたわら、ゲーム専門学校と小説教室で、小説の書き方を教えています。

生徒さんはみなさん熱心で、優秀な方ばかり。

デビュー率も高いんですよ。受賞者も多いですし、予選通過や小さな賞に入った方は数知れないほどいらっしゃいます。

私はデビュー26年目のベテラン作家です。作家としては二流ですが、小説の先生としては一流だと自負しています。

私は教室で、特別なことはしていません。基本的な小説技法を教え、繰り返しトレーニングして頂いているだけです。

書きたいものはみなさんの中にあり、私の役割はみなさんの執筆のお手伝いをすることだと考えているからです。

私は生徒運がいいと思っていましたが、生徒さんに、「わかつき先生の授業って、他と違いますよね」と言われて気がつきました。私のような授業をしている教室は、他にないらしいのです。

小説教室は、二通りに分かれます。先生の批評を頂くところと、合評会形式です。

私がデビュー前に通っていた小説教室は、小説を書いて提出したら、先生が小説の批評をくださいました。私は先生の批評を書き取って、小説技法を覚えていきました。

合評会は、みんなで小説を読んで、感想を言い合います。先生は出てくる意見の交通整理をするだけです。

小説を書いて、批評を貰って、また書いて、批評を貰ってを繰り返すうちに、上達していきます。小説は書かないことには始まりませんから、まず書いて批評を頂き、アドバイスを生かして次の小説を書く、というやり方は正しいです。

ですが、正しいやり方が、すぐデビューにつながるとは限りません。この方法は、時間がかかりすぎてしまいます。

文章は誰でも書けますが、小説を書くにはテクニックがいるのです。

私は私の教室で、批評でも合評会形式でもなく、テクニックをお伝えしているから、デビュー率が高いのではないかと思います。

この本では、私が教室で教えている内容を、なるべく具体的にまとめました。

なぜそのテクニックが必要なのかの説明→そのテクニックの解説→出題→解答例を繰り返します。

解答例のほとんどは、私が教えているバンタンゲームアカデミー大阪校の生徒さんに書いて頂きました。作中のイラストも生徒さんの作品です。

課題はいずれも数分〜一時間程度で終わる簡単なものですが、全35問を解き終わったときには、短編小説が書けるようになっています。

小説の書き方本は、たくさん出ています。ですが、文法から始めるドリル形式の小説の書き方本は、ほとんど存在していません。

あなたの書きたいものは、あなたの中にあります。私はあなたの書きたいものを教えることはできません。ですが、小説を書くための小説技法は教えることができます。

本気でプロ作家になりたい方も、楽しみのために小説を書きたい方も、この本で要領よくテクニックを身につけて、楽しく小説を書きましょう！

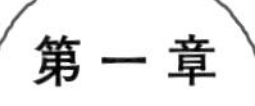

文法と文章

やらなくていい努力はしなくていい

プロになりたい方も、楽しみのために小説を書きたい方も、最小の努力で最大の成果をあげたいですよね。

やらなくていい努力のひとつは小説を書き終えてからの誤字チェックです。一回だけ、集中して誤字チェックをしてください。

それ以上しても意味がありません。

新人賞では、誤字があっても、選考には影響しません。誤字がないから受賞、誤字があるから落選なんてことはありません。

必要な努力はするべきですが、誤字チェックを繰り返すことは無駄な努力です。

いや、それはおかしい、誤字チェックは大事だろう？　僕が投稿したとき、講評シートに「誤字が多い。推敲を丁寧に」と書いてあったぞ、そう思う人がいるでしょう。

最近の新人賞、特にライトノベルの新人賞はそうですが、落選者に講評シートを配布しています。下読み（一次選考者）が書いた講評シートを、応募者に返却しているのですね。

実は、誤字が目立つのは、推敲が少ないからではなく、別の理由があるのです。

誤字だらけの本が発売された!

2018年のこと、あるライトノベルが、ツイッターを賑わせました。誤字だらけだったのです。気になる方は「徒手空拳　ラノベ」で検索してみてください。

私はこの本、たまたま本屋さんで買っていました。

誤字は一ページに数個ずつあったので、一冊あたりの誤字の数は千以上になるでしょう。

商業出版物は、校正者という文章のプロが修正をしてくれるので、誤字だらけの本は発売されません。

では、なぜ千個以上も誤字のある本が発売されてしまったのでしょうか。

おそらく、校正前の原稿を印刷してしまったのでしょう。

私も一度ありました。校正前の原稿が印刷されて発売されてしまったのです。

編集者に電話すると、「ファイルの取り違えです」と謝罪してくださいました。

編集者も人間ですから、間違うことがあるんです。

審査員は誤字なんて気にしていない

実はこのライトノベル、新人賞受賞作なんです。

興味を覚えて検索したところ、編集長のブログがヒットしました。この新人賞受賞作が発売されるちょうど1年前のことです。

ストーリーが破綻していても、キャラクターが支離滅裂でも、面白ければワンチャンあります。マジで。

誤字脱字、構成、キャラクターのモチベーション、視点のゆらぎ等々。応募作には大小様々な瑕疵があります。でもそうした瑕疵は、後から直せばなんとかなるものと、どうにもならないものがあるんです。

(中略)

ちなみにストーリーも構成もキャラクターも整ってる、誤字脱字は皆無、でも面白くない、という作品は、低次の選考は通りやすいかもしれませんが、高次選考は通りません。

「GA文庫ブログ　GA文庫大賞選考の心得（K村編）」

（https://ga.sbcr.jp/bunko_blog/k/20171020/）より

この編集部は、誤字脱字は審査対象ではないとはっきりと言っています。

ではどうして、「誤字が多い。推敲を丁寧に」と講評シートに書かれて落選する小説と、誤字が千以上あっても受賞する小説ができてしまうのでしょうか。

おもしろければ、誤字があっても気にしないから？

このライトノベルは確かにおもしろい小説でした。

ですが、もっと大きい理由があります。

それはこの誤字の多い受賞作は、文法が正しかったからなのです。

文法が正しければ、人間は誤字を読み飛ばす

これは10年程前の、ネット掲示板の書き込みです。

「こんちには みさなん おんげき ですか? わしたは げんき です。この ぶんょしう は いりぎす の ケブンッリジ だがいく の けゅきんう の けっか にんんげ は もじ を にしんき する とき その さしいょ と さいご の もさじえ あいてっれば じばんゅん は めくちちゃや でも ちんゃと よめる という けゅきんう に もづいとて わざと もじの じんばゅん を いかれえて あまりす。どでうす? ちんゃと よゃちめう でしょ? ちんゃと よためらはのんう よしろく」

人間の脳味噌というのはすごいもので、多少の誤字は頭の中で修正して読んでしまいます。前後の文字から類推するのです。

ところが、文法が崩れていると類推することができず、誤字でひっかかってしまいます。

そのため、誤字が目立ち、「推敲を丁寧に」と評価シートに書かれてしまうのです。

だったら、文法が崩れていると指摘してくれたらいいのに、と思うかもしれませんが、それは下読み（一次選考者）の仕事ではありません。

下読みは、その新人賞を取った新人作家に依頼が来ます（ライトノベルは特にそうです）。私も下読みをしていたのでわかるのですが、評価シートに「文法がおかしい」と書くことはできません。「文法がおかしい」という指摘はプライドにかかわるらしく、怒り出す人がいるのです。

もしも私の書いた評価シートがネットにアップされて「罵倒された」なんて書かれると、小説の仕事を失ってしまいかねません。作家にとって大事なのは、小説の執筆です。評価シートを書くことは、優先順位が低いのです。そのため、無難な内容の評価シートを書いてお茶を濁そうとします。

文法は崩れてしまうものなのです

私は有料で添削をしています。「文法が崩れています」と指摘すると驚く方が多いです。「それはあなたの感想ですよね？」という返信を頂いたこともあります。信じてくださらないのはまだいいのですが、怒り出す方がいて困ったこともあります。高学歴の高齢の方ほど、その傾向が強いですね。

文法が崩れている方は、ご自分の文法がおかしくなっていることに気がついていらっしゃいません。正しい文法で小説を書いていると思い込んでおられます。

お若い方は正しい文法で書いている方が多いです。一方、年配の方は文法が怪しい方が散見されます。

これは当然なんですよ。

スポーツでも、自己流でやっていくと自分なりのクセがついてしまうように、国語教育から離れて時間が経つと、文法も崩れていくものなのです。

ネットニュースや商業出版物にも、おかしな文法で書かれている場合がありますよ。

「正しい文法で小説を書きましょう」とアドバイスすると、「文学というものは、文法を超越したところにある」と反論を頂きます。

私は議論せず、「すみません。文学はわかりません。私がご指導しているのは小説です。お役に立てなくてもうしわけありません」と謝罪しています。

文学は文法を超越していてもいいのかもしれません。読みにくくてもいいのかもしれません。

ですが、小説は娯楽です。寝っ転がって読むものです。小説は、娯楽のひとつにすぎないのです。読者を楽しませるのが小説です。読者に伝わるように書きましょう。

文法が崩れていると読みにくいし、誤読を誘ってしまいますよ。

おもしろいを身につけるのは大変。でも、文法は少しの努力で身につけられる

誤字が多い作品を新人賞に選んだレーベルの編集長は「おもしろければ受賞します」と言っていました。とはいえ、おもしろいという評価基準はあいまいです。私は小説を書いていて、おもしろいって何なのか、わからなくなるときがあります。

冒頭で事件を起こすとか、キャラ立てを魅力的にするとか、テクニックで補える部分はありますす。ですが、そうしたテクニックを越えたところにあるおもしろさや勢いは、教えられるものではありません。ですが、文法は少しの努力で身につけられます。

崩れた文法で、作品のおもしろさや勢いを台無しにしないようにしましょう。

正しい文法は、努力すれば身につけることができるのです。

誤字をなくそうとして何度も誤字チェックをしても、誤字はゼロにはなりません。誤字チェックを重ねるより、おもしろいとは何か考え込むより、正しい文法を身につけたほうが、手っ取り早く上達します。

文法の覚え方には、二つのやり方があります。

- 写経する。
- 文法のドリルを解く。

ここでいう写経は、市販の小説を丸写しすることです。

大阪人と会話していると、イントネーションが移ってしまって、自分も大阪弁になってしまうことがありますよね。それと同じで、文章は、書き写せば移ります。

パソコンでOKですよ。

写すのは、文章にクセがなく、正しい文法で書かれている小説です。おすすめは、綿矢りさ著「ひらいて」、羽田圭介著「スクラップ・アンド・ビルド」です。

一言一句書き写しましょう。いずれも短いので、二日ほどで書き写すことができますよ。一冊書き写したら、嘘のように文章が上手になっています。
文法のドリルは、小学生向けの、中学入試対策の国語のドリルがおすすめです。たくさん出ていますので、本屋さんでいちばん薄いものを買って解いてみてください。小学生向けというなかれの難しさです。私もたまにドリルを買ってきて解いています。

小説で必要な文法はこれだけ

写経も文法のドリルを解くのも、それなりに時間がかかります。
小説に必要な文法は、五つのポイントに絞って覚えましょう。

ポイント1　主部と主語は省略しない。なるべく始めに出しましょう。
ポイント2　テン（読点）の位置で意味が変わる。
ポイント3　主部と述部は恋人同士。離さないであげて。
ポイント4　ひらがなは使いすぎないで。

ポイント5　語順は大事。

この五つのポイントさえ守って頂いたら、文章が上手いと思ってもらえます。

逆に言うと、このポイントを無視したら、文章の意味がとんでもないことになってしまうのです。

着物を脱いじゃだめですよ

玄関の張り紙に、次の一文が書いてあります。

ここではきものを脱いでください。

履物（はきもの）、つまり、靴を脱いでください、という意味なのですが、「ここでは着物を脱いでください」とも読めるので、誤解して服を脱ぐ来客が出てきそうですね。どうすれば来客に服ではなく靴を脱いでもらうことができるのでしょうか。何が悪くて誤読してしまうのでしょうか。

ひらがなで書いてしまったことと、テン（読点）がなかったことが原因です。

ここで、履物を脱いでください。

ポイント2　テン（読点）の位置で意味が変わる。

ポイント4　ひらがなは使いすぎないで。

こういう文章を「ぎなた読み」と言います。昔からある文法崩れの例です。

弁慶がなぎなたを振り回したんだ。

テンの位置で意味が変わります。

弁慶が、なぎなたを振り回したんだ。

弁慶がな、ぎなたを振り回したんだ。

テンを打つ、漢字にするだけで誤読せずにすみます。

弁慶が、薙刀を振り回したんだ。

文意が通る文章になりました！

薙刀のような固有名詞は、漢字を閉じるほうがいいですね。

漢字があるのに、あえてひらがなで書くことを開くと言い、ひらがなを漢字にすることを閉じると言います。

ひらがなで書くと柔らかい印象になりますが、漢字を開きすぎるのは誤読を誘ってしまいますよ。男性は漢字を閉じたがる人が多く、女性は漢字を開きすぎる人が多いようです。開きすぎも閉じすぎもよくないです。わかりやすく書きましょう。

評判がいいの？　悪いの？　はっきりして！

貴店のマカロンは家族の評判がとてもよくなくなったらまた注文したいです。

ネットショップの口コミにありそうな文章ですね。「家族の評判がとてもよくなく」そうか、評判がよくないのか。不味いんだな、と思うと、「また注文したいです」。不味いのに注文するの？　この文章は何を言いたいの？

「家族の評判がいい、また注文したい」という意味なのに、逆の意味に読めてしまうのは、

ポイント2　テン（読点）の位置で意味が変わる。

ポイント4　ひらがなは使いすぎないで。

ポイント5　語順は大事。

の三つのポイントが守られていないせいです。

ポイント5の「語順は大事。」ですが、日本語では、言葉は次の言葉にかかります。「よ

く」が「ない」にかかるので、「よくない」と読めてしまうのですね。言葉を切るのがテンなのです。テンを補い、ひらがなを漢字に変えましょう。

家族の評判がとても良く、無くなったらまた注文したいです。

だいぶわかりやすくなりましたが、語順を変えるとさらに良いです。行動を書いて理由を書くほうが読みやすいです。

無くなったらまた注文したいです。家族の評判がとても良いからです。

猛反論した人は誰？

日本鉄道ファン協議会に鈴木ありさ・元理事が猛反論「彼らは内輪の理論で動いている」

ネットニュースにあった文章を元にしたものです。日本鉄道ファン協議会（架空の団体です）に鈴木ありさ氏（架空の人物です）が入会したところ、元理事が鈴木氏の入会に反対している、という意味に読めてしまいますが、文意は違います。鈴木氏は理事だったのですが、トラブルにより理事をやめてしまいました。鈴木氏は日本鉄道ファン協議会に対して、「内輪の理論で動いている」と反論しているのです。

どうしてこういう誤読が起きてしまうのか。主部「日本鉄道ファン協議会に」と、述部「猛反論」が離れているからです。

日本語は、言葉が次の言葉にかかります。「日本鉄道ファン協議会に」が「鈴木ありさ」にかかります。そのため、「日本鉄道ファン協議会に鈴木ありさ氏が入会した」と読めてしまったのです。語順を変えるべきでした。

鈴木ありさ・元理事というのも、誤読を誘う原因になっています。ナカグロ（・）は単語の区切りとして使うので、鈴木ありさと元理事が区切られてしまったのです。元理事の鈴木ありさ、もしくは鈴木ありさ（元理事）にするべきでした。

ポイント3　主部と述部は恋人同士。離さないであげて。

ポイント5　語順は大事。

（ポイント3）と（ポイント5）を守って、誤読しない文章に変えましょう。

元理事の鈴木ありさが日本鉄道ファン協議会に猛反論「彼らは内輪の理論で動いている」

C国が死亡したってそんなバカな！

C国が死亡観光客に哀悼の意　感染のB国人も死亡

これも、ネットの文章を元にしたものです。C国が死亡して観光客に哀悼の意を表している、感染したB国人も死亡した、と読めますね。C国が死亡するってどういう状況なのでしょうか？　さっぱり意味がわかりませんね。これは文法間違いの典型的な例です。

文意は、C国を旅行中の観光客が死亡し、C国が哀悼の意を表している。感染したB国人も死亡した、という意味です。

テンを補って読みやすくしましょう。

ポイント2　テン（読点）の位置で意味が変わる。

C国が、死亡観光客に哀悼の意　感染のB国人も死亡

テンを補うことで、C国と死亡が切れるので、誤読することは無くなります。

さらに読みやすくするには、語順を変えること。

主部「C国」と、述部「哀悼の意」が離れているせいで、わかりにくくなっているからです。言葉はすぐ次の言葉にかかります。それが日本語の文法です。

主部「C国」と述部「哀悼の意」の間に死亡観光客が入っているから意味の取れない文章になっているのですね。

ポイント3　主部と述部は恋人同士。離さないであげて。

ポイント5　語順は大事。

死亡した観光客に、Ｃ国が哀悼の意　感染のＢ国人も死亡

意味の通る文章になりました！

おいしく食べた人はいったい誰？

料理を振る舞うと、おいしく食べてくれた。Ａは満足した。

おいしく食べてくれたのは誰でしょうか？　料理を振る舞ったのは誰でしょうか？　Ａでしょうか？　それとも、別の誰かでしょうか？　誰が何をしているのか、さっぱりわかりません。

こういう文章を書く方、たくさんいらっしゃいますよ。日本語は主語が省略できる言語だからです。

会話しているときは、相手がいます。自分の名前を省略しても、相手の名前を呼ばなくても会話がなりたちます。

ですが、文章では、誰が何をしたかを書かなくてはなりません。主語や相手の名前を省略すると、意味の取れない文章になってしまうのです。

ポイント1　主部と主語は省略しない。なるべく始めに出しましょう。

主語はAです。Bがおいしく食べてくれたので、料理を振る舞ったAは満足した。という意味になるよう、主語を補って正しい文章に変えましょう。

Aが料理を振る舞うと、Bはおいしく食べてくれた。Aは満足した。

意味の通る文章になりました！

次の誤読を誘う文章を、意味の通る文章に変えてください。

課題1

飼育係は血まみれになった猿を追いかけた。

飼育係が血まみれになっているのか、猿が血まみれになっているのかわかりません。テンを補い、猿が血まみれであることがわかるように書き直してください。

課題1 解答例

飼育係は、血まみれになった猿を追いかけた。

課題2

手芸が好きですが、クラフトマーケットは入るだけで勇気いります！（ただみたいだけなのに売りつけようとするから！）しつこい客引きはほんとに嫌です。

ただみたい、すなわち無料のようなものを売りつけようとする、と読めてしまいますが、文意は英語でいう、I'm just looking.「見てるだけ」です。クラフトマーケットというのは、自分で作った手芸を売る市です。手芸が好きなので、どんな作品が売られているのか見たいのに、売りつけようとするから嫌だというのが文意です。
テンを補い、漢字に変えて、正しい文意になるように書き直してください。

課題2 解答例

手芸が好きですが、クラフトマーケットは入るだけで勇気いります！（ただ、見たいだけなのに、売りつけようとするから！）しつこい客引きはほんとに嫌です。

課題3

山道で、イノシシと家族四人が乗る車がぶつかった。

同じ車にイノシシと家族四人が乗っていて、どこかにぶつかったように読めてしまいます。文意は、車には家族四人が乗っていて、イノシシがぶつかってきた、という意味です。テンを補い、語順を変えて、正しい文章になるように書き直してください。

課題3 解答例

山道で、家族四人が乗る車に、イノシシがぶつかった。

課題4

コードネーム・トワイライト、いいなまえだ。

トワイライトというコードネームが、良い名前だと感心しているように読めますが、これはバトルシーンです。あらかじめ打ち合わせをしたように前に出ろ、と指示しています。テンを補い、漢字にして、意味が通るようにしてください。

課題4 解答例

コードネーム・トワイライト、いいな、前だ。

課題5

モンゴル内相撲殺される。

モンゴル内で相撲して殺される、というふうに読めますが、モンゴルの内相、すなわち内務大臣が撲殺された、殴り殺されたという意味です。テンを補って意味の通る言葉に直してください。

課題5 解答例

モンゴル内相、撲殺される。

課題6

亡くなったA子さんのスマホには、ディズニーランドでピースサインをする無邪気な写真が残されていた。20代後半、彼氏と思われる男性と腕を組んではしゃいでいる。

亡くなった女性のスマホに、生前の楽しそうな写真があった。という文章ですが、20代後半はA子さんなのか、彼氏さんなのか、二人ともなのか、わかりません。20代後半のA子さんが、同じく20代後半の恋人の男性と腕を組んではしゃいでいる、という意味になるように書き直してください。元の文章から大きく変わってもいいので、文意が通るようにしてください。

課題6 解答例

亡くなったA子さんのスマホには、ディズニーランドでピースサインをする無邪気な写真が残されていた。20代後半のA子さんが、彼氏と思われる同年代の男性と腕を組んではしゃいでいる。

誤読させない文章を書くためには

文法崩れだけではなく、他にも誤読させる文章があります。誤字や変換ミスなどです。小説を書く上で最も大事なのは、自分のイメージを読者に届けること。おもしろい小説を書くのはその次です。

文法は正しくても誤読を誘う文章を紹介し、なぜ悪いのか、どう直せばいいのかを説明し、出題します。

慣用句・故事成語・四字熟語の間違い

アルスは腰の剣を抜くと、スライムの怒髪天を衝いた。

生徒さんの小説に、実際にあった間違いです。

アルスは勇者で、スライムと戦っています。

「怒髪天を衝く」というのは、髪の毛を逆立てて威嚇するさまです。この文章だと、剣を抜いた勇者に、スライムが激怒している様子になります。勇者よりもスライムのほうが強そうです。

ですが文意は、アルスが剣でスライムを突き刺してやっつけた、だったのです。怒髪天を頭頂部だと思い込んでしまったことが間違いの原因です。

「突く」は剣で突き刺したり物理的な攻撃のときに使い、「衝く」は空を衝くほどに大きいとか、物理的ではないときに使います。

正しい言葉に直して、文意が通るようにしましょう。

アルスは腰の剣を抜くと、スライムの頭頂部を突いた。

故事成語や慣用句は間違えて覚え込んでいることがあるので、辞書を引いてほしいです。読者を混乱させるからです。

課題7

須藤奈々美は、饒舌に尽くしがたいほどの美貌の持ち主だ。

この文章を書いた人は、奈々美は言葉では言い表せないほど美しいと書くつもりでした。なのに、誤字のせいでおしゃべりな（饒舌な）女性になってしまいました。文意が通るように書き直してください。

課題7 解答例

須藤奈々美は、筆舌に尽くしがたいほどの美貌の持ち主だ。

重語に気をつけよう

コストコのパンは量が多すぎて後から後悔しました。

じゅうご、じゅうげん、とも言うのですが、文字通り重なる言語です。「頭痛が痛い」とか「馬から落馬した」とかがそうですね。

後悔は後から悔やむことですから、「後から後悔」は重語になります。

コストコのパンは量が多すぎて後悔しました。

重語は文法上の間違いではありません。ですが、なぜ重語が良くないのかというと、目が滑ってしまうんですね。

人間の目というのは適当なもので、同じ言葉が近いところに頻出する場合、読み飛ばしをしてしまうのです。文章が目に入らないんですね。

ドッジボール協会はボール遊び用に子供会にボールを贈った。

「ドッジボール協会のみなさん。たくさんのボールありがとう」

子供会の会長はボールを抱えながらお礼を言った。

このような文章の場合、ボールからボールまで読み飛ばしをしてしまいます。全部ちゃんと読める人は少なくて、一行飛ばして読んでしまったり、いろいろな部分が抜け落ちたりしてしまい、意味が通らない文章になってしまいます。

こういう文章は、新聞記事など、正確さを要求される文章でよく見かけます。小説は正確さよりも読みやすさを優先するべきです。

頻出文字は、校正者が徹底的に洗い出すところです。頻出文字と重語はなるべく書かないようにしましょう。

なお、この本では、正確さを優先して、頻出文字の言い換えをしていません。

課題8

「占い師様、ひどい行為が行われているのです」
「何を今更。私は予め予言したではないか」

この会話文に重語が二カ所あります。重語を修正して、目の滑らない文章になるよう書き直しましょう。

課題8 解答例

「占い師様、ひどい行為がなされているのです」
「何を今更。私は予言したではないか」

誤変換に注意

桐乃ありすは、花車な女の子だった。

「きゃしゃ」で変換すると「華奢」と「花車」が出てきます。華奢は「姿かたちがほっそりして、上品で華やかな様子」です。一方、花車は「遊女を監督する女、あるいは遊女屋・揚屋・茶屋などの女主人」のことです。いわゆる遣り手婆です。

若くてかわいらしい女の子が、変換ミスひとつで人相の悪いおばあさんになってしまいます。気をつけましょう。

課題9

次の各文を正しい文章に直してください。

終末までにお返事を頂けますようお願いします。
名古屋の死者からメールが来ました。
ミニ着てくれてうれしい。
お手数をおかけしますが、狂獣に変身願います。
ＩＲの経済は急降下。
詳細につきましては、添付の死霊をご覧ください。
今日の空手の練習は、師範大が教えてくれます。
体長不良のため、お休みを頂きます。

課題9 解答例

週末までにお返事を頂けますようお願いします。
名古屋の支社からメールが来ました。
見に来てくれてうれしい。
お手数をおかけしますが、今日中に返信願います。
IRの経済波及効果。
詳細につきましては、添付の資料をご覧ください。
今日の空手の練習は、師範代が教えてくれます。
体調不良のため、お休みを頂きます。

修飾が多すぎる

反(そ)りを打った中折れの茶の廂(ひさし)の下から、深き眉(まゆ)を動かしながら、見上げる頭の上には、微茫(かすか)なる春の空の、底までも藍(あい)を漂わして、吹けば揺(うご)くかと怪しまるるほど柔らかきなかに屹然（きつぜん）として、どうする気かといわぬばかりに叡山（えいざん）が聳（そび）えている。

『虞美人草』夏目漱石／KADOKAWA（1955初版、2017改版）

修飾は文節を詳しく説明する言葉です。言葉を飾り、意味を詳しく説明する役割があります。

「微茫なる」が、「春の空」を修飾しています。「春の」が「空」を修飾しています。春の空だけでも意味がわかるのですが、さらに言葉を飾って雰囲気を盛り上げているのですね。

「虞美人草」は、高校の国語の授業で使われていることが多いので、読んだことがある方がいらっしゃるはずです。年配の方は、こういう文章を好まれるようです。

夏目漱石が生きていた時代ならいざしらず、こういう修飾が多い文章は、現代ではおすすめしません。

理由は読みにくいからです。

小説の文章にも流行があり、今はすっきりした文章が好まれます。私の印象にすぎませんが、携帯電話が普及した頃から、この傾向が強くなったように思えます。電車を待つホームで携帯電話を開き、電子書籍や携帯小説をさっと読む。そんな時代には、わかりやすくて伝わりやすい、すっきりした文章のほうが好まれるのです。

修飾は一文にひとつにしましょう。

七緒は黒い瞳と黒髪が魅力的な、モデルのようにスタイルがよく、咲き誇る薔薇を思わせる圧倒的なオーラを持つ暴力的なほどの美貌の女だった。

七緒が綺麗だという描写ですが、修飾をひとつにしてすっきりした文章になるように書き直してください。

課題10 解答例

七緒は黒い瞳と黒髪が魅力的で、モデルのようにスタイルがいい。咲き誇る薔薇を思わせる、美貌の女だった。

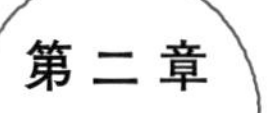

描写と人称と視点

読者は、小説中に書かれたことしかわからない

文法は国語の授業で勉強するので、なんとなく記憶があるはずですが、国語の授業で学ぶことのない小説の必須テクニックが存在します。

描写と人称と視点です。

世の中にはすごい人がいて、小説教室に通ったこともなければ、小説の書き方の本を読んだこともないけれど、はじめて書いた小説で受賞した、という方もいらっしゃいます。

天才は、小説を読むだけで小説を書くことができるのですね。

ですが、大多数の人間は天才ではありません。

描写と人称と視点は、小説教室に通うか、小説の書き方を勉強しないことには覚えることができません。

文法が文章の基礎なら、描写と人称と視点は小説の基礎というところでしょうか。

知っている方も、ぜひこの章を読んでおいてくださいね。

間違えて覚えている方がいらっしゃいますよ。

キャラをのっぺらぼうにしないために

のっぺらぼうというのは、顔はあるのに、目や鼻や口がない妖怪です。

小説の登場人物のことをキャラクター、略してキャラといいます。キャラがのっぺらぼうになっている作品があります。

一人称で書く人に多いのですが、主人公の名前や性別、年齢や外見がわからないままお話が進んでいくので、のっぺらぼう小説と呼んでいます。

生徒さんの小説にアキラという人物が出てきました。私は男の人だと思って読んでいました。ところが、何か変なのです。お話の真ん中ぐらいまで読んでやっと、アキラは少女だと気づきました。イメージを修正しなくてはいけなくて困りました。

男は、女は、と書く人がいました。最後まで名前が出てきませんでした。登場人物の外見も年齢も職業もわかりませんでした。

のっぺらぼうだと、魅力的なキャラを書くことは難しく、小説のおもしろさを読者に伝えることができません。

なぜのっぺらぼうになってしまうのでしょうか？

答えはズバリ、描写がないからです。描写とは描いて写すことです。小説は文字しかありません。読者は作者が書いた文字しか読み取ることができません。作者が書いていないことは読者にはわからないのです。

「主人公の名前を教えてください。男性ですか？　年齢は？」と聞くと、「先生の読解力が低いんじゃないですか？　ほんとに読んでます？　読んでないからわからないんじゃないですか？」と返されます。

作者の頭の中にはイメージがあって、ちゃんと書いているつもりだからです。そういう方にはご自分の小説を再読して頂いて、登場人物の名前や外見が出ているかどうか確認してもらっています。

小説は、アニメや漫画、舞台劇やドラマと違って、文字しかありません。

読者は、小説に書かれたことしか読み取ることができません。

作者がかわいい女の子のつもりで書いていても、かわいい女の子であることを文章で書かないと読者には伝わりません。アキラは青年だと誤読してしまうのです。

小説で大事なのは、誤読させないこと。読者を混乱させないこと。作者の伝えたいことを、ちゃんと届けることです。

描写は、作者のイメージを文章で書いて読者に届けることなのです。
この本で、描写を覚えてしまいましょう。

描写

描写には三種類あります。

- 外見描写　登場人物（キャラクター）の外見を描いて写す。
- 情景描写　景色の情報を描いて写す。
- 心理描写　心の裡（うち）を描いて写す。

外見描写は、登場人物の外見を描いて写すことです。アキラが若い女性であることを文章で書かないと、読者は誤読してしまいます。

情景描写は、登場人物がどこにいるのか、どんな状況なのかを伝えるものです。

舞台劇だと大道具、アニメだと背景画、漫画だと校舎が描かれているコマに相当します。視聴者（読者）は意識しない部分ですが、この意識していない部分があるから、お話の中に入り込むことができるのです。

情景描写はたくさん書いてはいけません。読者が退屈します。一コマ分、数行でいいのです。

ですが、まったく書かないと、どこにいるのか、どんな状況なのかわかりません。

心理描写は舞台劇やドラマにおいて、俳優さんの演技に相当する部分です。台本だと「ジュリエットは悲しんだ」と書けば、女優さんは悲しい演技をしてくださいます。小説は文字しかありません。悲しいを文章で書く必要があるのです。

外見描写

まずは、プロ作家がどんなふうに外見描写をしているか紹介します。

ベンノは二十六歳で、ドイツ人らしく角張った顔立ちと身綺麗（みぎれい）な亜麻色の短髪が、神経質そうな印象を与える。

『ユア・フォルマ 電索官エチカと機械仕掛けの相棒』
菊石まれほ／KADOKAWA（2021）、ライトノベル

たった二行。文字数にしてわずか50文字です。名前も年齢も、どんな雰囲気の人なのかもわかるように描いてあります。きちんとした身なりの、気難しそうな青年ですね。外見描写は長く描けばいいというわけではありません。外見描写が長いと、読者が退屈に思ってしまいます。雰囲気を伝えることが大事です。

机の向こうに、ビリケン像が丸眼鏡をかけたような容姿の男性がいた。二代目所長・新城新蔵（しんじょうしんぞう）、六十三歳。東京帝国大学理科大学卒の宇宙物理学者で、京大の総長を務めていたこともある人物だ。

『破滅の王』上田早夕里／双葉社（2019）、SF小説

たったの三行。文字数にして88文字です。年齢と名前と外見だけではなく、職業までも書いてあります。

ビリケン像はイラストの通りです。大阪の通天閣のビリケンさんが有名ですね。この小説の時代は1931年ですが、当時ビリケンが流行っていたのですね。禿頭に糸目のおじいさんのイメージが浮かんできますね。

外見描写は50文字から120文字程度でいいのですが、少女小説は別です。読者が華やかなものを求めているからです。宝石のキラキラや衣装の豪華さを、これでもかとばかりに描写します。

あえかな光に照らされているのは、白い面の佳人である。華奢な体つきの、うら若い少女だった。十五、六歳だろうか。髪を双輪に結いあげ、玉の簪や金の歩揺をさしている。少女の小さな顔ほどもあろうかという牡丹を、髻の下に飾っているのが目についた。驚くのはその身を包む衣装で、上から下まで漆黒である。衫襦も、胸もとまで引きあげた裙も黒。衫襦は濡れたような光沢を持つ黒繻子で、花葉文の細かな刺繍がほどこされ、裙には華麗な花喰い鳥の模様が織りだされている。肩にかけた披帛も黒い薄絹だったが、黒曜石でも縫いつけてあるのか、夜露のようにきらめいていた。

『後宮の烏』白川紺子／集英社（2018）、少女小説

「玉の簪」は宝石の髪飾りです。棒の先端に、瑪瑙や翡翠などの宝石を丸く加工した玉がついていて、髪に挿します。「歩揺」は歩くと揺れると書く通り、金細工の髪飾りです。顔に垂れ下がって、歩くたびにしゃらしゃらと揺れるのですね。「牡丹」はバラのような大輪の花です。

長い黒髪を美しく結いあげて、宝石と花を飾っているのです。豪華ですね。

服装は烏を思わせる黒ずくめですが、贅沢なんですよ。「衫襦」は上着で「繻子」という絹糸で織ったつやつやした布でできています。繻子は英語だとサテンになります。しかも、花と葉の連続模様がびっしりと刺繍されています。黒の布に黒の糸で手刺繍ですよ。

なんて贅沢なのでしょう。

胸もとまで引きあげた「裙」というのはハイウエストのロングスカートで、花喰い鳥の模様が織り出されています。染め出してあるのではなく、織り出してあるのです。

「披帛」はショールのことですが、黒い薄絹、すなわちシフォンでできています。黒曜石という宝石が縫いつけられているらしく、きらきらと輝いています。

しかも、この作家さんは、はじめの二行、54文字で、外見のイメージを書いています。


あえかな光に照らされているのは、白い面の佳人である。華奢な体つきの、うら若い少女だった。十五、六歳だろうか。

同上

色白の美人で、ほっそりした体つきの十五歳ぐらいの娘だと先に書いている。

この54文字さえ読めば、服装の描写を読み飛ばしてもイメージできるようになっています。

一般小説では、こんなにたくさん描写する必要はないですよ。外見描写は50文字程度で大丈夫です。多くても120文字程度にとどめましょう。

外見描写は俳優の容姿に相当する部分であり、アニメや漫画であればキャラデザになります。外見を魅力的に書くことは、登場人物の魅力を読者に伝える大切な部分です。男性なのか女性なのか、若いのか年寄りなのか、美人なのか十人並みなのか、どんな服を着てどんな雰囲気の人物なのか、簡潔に書いて読者に伝えてくださいね。

課題11

あなたの好きな男性アイドルや歌手、アニメヒーローの外見を120文字以内で描写してください。

課題11 解答例

川から上がった彼は濡れた髪を無造作にかき上げた。髪から滴る水滴が彼の陶器のような白い肌を伝ってシュッとした顎の先から落ちるのを、思わずじぃっと見つめてしまう。

課題12

あなたの好きな女性アイドルや歌手、アニメヒロインの外見を120文字以内で描写してください。

課題12 解答例

イメージカラーであるビビッドピンクのスポットライトに照らされ、彼女の特徴的なシルエットが浮かび上がる。金色の挑戦的な目が客席を見渡し、それから彼女はいつもの自信満々な笑みを浮かべた。

課題13

もふもふの大きな犬を散歩させている幼女の外見を、120文字以内で描写してください。

課題13 解答例

シロクマのようにも見えるその犬は、へっへっと舌を出しながら公園の道を颯爽と歩いている。その後ろには自分より大きい犬をなんとか制御しようと、必死にリードを掴みながら引き摺られている少女がいた。少女の顔は力みすぎて真っ赤になっている。

情景描写

まずは、作家の書いた情景描写を紹介します。

真知子は無人の校庭に立って、人影のない校舎を眺めた。北風が冷たくえり元を巻いて駆け抜けて行く。灰色の、どんよりと重い空が、寂しい風景を、いっそう寂しくさせている。

『死者の学園祭』赤川次郎／角川書店（1983初版、2009改版）、ミステリー

真知子が転校してきた高校は、明るくて活気にあふれた校舎でした。ですが、殺人事件や不祥事のせいで、生徒がいなくなりました。
人影のない校舎にどんよりした空、吹きすぎる北風。もの悲しい光景ですね。寒い冬の空気までも伝わってきます。

奈良若草山を初夏の青い風が吹いている。
このころ——七堂伽藍（しちどうがらん）こそ昔ながらだが、それは荒れはて、蕭殺（しょうさつ）の気をはらんで、奈良はすでに仏都の面影を失っていた。

『伊賀忍法帖』山田風太郎／角川書店（2010）、時代小説
蕭殺＝ものさびしいさま　七堂伽藍＝寺に建てられている主要な建物のこと

平安時代末期、治承・寿永の乱で焼き討ちにあった奈良は、戦火から復興することができずにいました。東大寺のお堂も焼けてしまい、焼け焦げた大仏様が野ざらしになっていました。
お寺の主要な建築物（七堂伽藍）はまだかろうじて残っているものの、荒れ果ててボロ

ボロになっています。

奈良の都は破壊し尽くされているにもかかわらず、若草山には爽やかな初夏の風が、皮肉のように吹き抜けているのです。

たったの74文字だけの情景描写なのに、映画の一場面のように、くっきりと情景が浮かんできます。


夜風が吹き付ける森の中に、煉瓦造りの塔が人目を憚るようにひっそりと建っている。

塔の頂上には、柔らかな雪が降り注ぐ夜の空を見上げるぼくと、そしてぼくの話に耳を傾ける彼女がいた。一冬掛けて積もった雪が、深緑の草木を覆い尽くし、塔の周辺は鮮やかな白銀へと姿を変えている。


『時の悪魔と三つの物語』ころみごや／ホビージャパン（2013）、ライトノベル

ファンタジー小説です。塔のてっぺんに、ぼくと彼女が座っています。

雪に緑の木々が覆い隠され、空気がぴんとはりつめた中、夜風に吹かれながら彼女と会

話をしています。柔らかな雪という描写がいいですね。真冬で寒いのにもかかわらず、彼女と一緒なので寒さをあまり感じないのでしょう。ディズニーアニメの一場面のようで綺麗ですね。

なるべくいろんなジャンルから紹介しています。

いずれも80文字や100文字ほどしか書いていないのに、場面がありありと思い浮かぶどころか、風の匂いや気温、登場人物の気持ちまでも伝わってきますね。

情景描写のコツは、ここがどこか、どんな季節で、どんな状況か、登場人物の雰囲気を簡潔に伝えることです。

長々と書かないでくださいね。情景描写をしている間、ストーリーの進みが止まってしまい退屈になります。

課題14

春の暖かい日、桜の咲く入学式の情景を描写してください。

課題14 解答例

柔らかな陽光に身を包まれながら、学生服姿の生徒たちが桜並木を歩いている。風に揺られ蝶のように舞った桜の花びらが生徒たちに降り注ぐ。どこからか聞こえてくる鳥のさえずりが、彼らの門出を祝っていた。

課題15

6月のじめじめとした雨の日、あなたはずぶ濡れになりながら、自転車に乗っていて転んでしまい、泣きそうになりました。その様子を書いてください。

課題15 解答例

痛む足を押さえながら、私は固い地面に座り込んで俯いていた。私の傍で倒れている自転車の後輪がくるくると回っている。灰色の雲から落ちてくる滝のような雨と私の汗が混じってシャツを濡らし、肌に引っ付いてくる。頬を伝って流れる雨は、口の中に入ると少しだけしょっぱい味がした。

あなたは砂浜で、8月の海を見つめています。夏の海の様子と暑さを描写してください。

課題16 解答例

雲一つないまっさらな空の下、鉄板のように熱くなった白い砂浜の上で海を眺めていた。海面は太陽の光を反射して星の瞬きのように輝いている。塩辛い風が吹きつけ、肌全体に纏わりついてきた。

心理描写

作家の書いた心理描写を先に紹介します。

それを恋愛感情とは呼ぶことはできなかっただろうが、かなり似かよったものだった。ぼくの身体ぜんたいを無数の細い紐が締め上げているような感覚があった。

『スプートニクの恋人』村上春樹／講談社（2001）、純文学

胸がキュッと痛くなるような、息苦しいほどの愛しい思いを文章にしてあります。「ぼく」はすみれが好きなのですが、すみれはレズビアンでミュウという女性が好きです。ぼくは傍観者のようにミュウを眺めているだけで、息苦しい思いをしているのです。

その瞬間、真弓のからだは透明なフィルムに包み込まれた。全身に水糊をかけられ、それが徐々に固まっていくような……何だろう、この感覚は。

『夜行観覧車』湊かなえ／双葉社（2013）、ミステリー

真弓は主婦で、娘の家庭内暴力に悩んでいます。娘が暴れたとき、冷たい怒りで身体が動かなくなったのです。それを、透明なフィルムに包み込まれたようだと描写しています。

「魔女が――倒れた。もうだめみたい」
突然、まいの回りの世界から音と色が消えた。耳の奥でジンジンと血液の流れる音がした、ように思った。
失った音と色は、それからしばらくして徐々に戻ったけれど、決して元のようではなかった。

『西の魔女が死んだ』梨木香歩／新潮社（2001）、児童文学

魔女はまいのおばあさんで、イギリス人です。まいはクォーターで、目立つ外見のせいでいじめられ、不登校になりました。そのとき、おばあさんの家で過ごし、魔女修行をしました。その大好きなおばあさんが倒れたというのです。そう聞いた瞬間、音と色が消えて、まるで時間さえも止まったような錯覚に襲われたのです。ショックを受けたときの感情が、たったの二行、50文字ほどで書いてあります。

苦しい、辛い、悲しいと言葉で書くのではなく、苦しい気持ちを痛覚で書いてあることに気づくと思います。苦しいと言葉で書いても、読者は「ふうん」としか思えません。で

すが、紐で締めつけられるように息苦しいとか、音と色が消えたとか書くと、その苦しさが実感として迫ってくるのです。

課題17

あなたは高校生です。ひそかに憧れていた学園のアイドル（あなたの推しのイメージ）に、おはようと言われました。そのときのうれしい気持ちを120文字以内で書いてください。

課題17 解答例

「おはよう」
憧れの先輩からの挨拶を聞いた瞬間、私の目の前には花が舞い光輝いた。
全身がどくどくと脈打ち、この音が周りの人に聞こえてしまうんじゃないかと思った。

課題18

あなたはコンビニでバイトをしています。クレーマーおばさんが文句を言いにきました。そのときの殴ってやりたいけれど、殴ってはいけないと我慢している気持ちを120文字以内で書いてください。

課題18 解答例

私はレジの下で拳を震わせた。

頭が熱くなり、目の前が赤く染まっていき本能のままに目の前のおばさんを殴りたいと思ってしまう。

しかし、それを拳に爪を立てて理性を保った。

課題19

あなたはおじさんですが、まだまだ元気だと思っています。ところがバスで高校生に席を譲られました。お礼を言って座りますが、うれしいような寂しいような複雑な気持ちになります。この複雑な気持ちを120文字で書いてください。

課題19 解答例

「どうぞ」

そう学生に優先席を譲られ、俺の胸は淹れたてのお茶のようにあたたかくなるが、その一方で急速に冷たくなる。自分では、まだ若く元気だと思っていたが違うのか。周りと自分の考えの違いに、青汁に蜂蜜を混ぜている時のようにぐちゃぐちゃな気分になった。

人称

人称代名詞には三種類あります。

・一人称　オレは、私は、僕は、あたしはで書かれた文章。
・二人称　君は、あなたは、おまえはで書かれた文章。
・三人称　聡美は、青山は、沖田艦長は、男は、少女はで書かれた文章。

小説は一人称か三人称で書きましょう。

芥川賞受賞作「爪と目」が珍しい二人称小説でしたが、芥川賞狙いでない限り、やめておいたほうがいいですよ。理由はわかりにくくなるからです。

一人称で書く場合はずっと一人称で書いて、三人称で書く場合はずっと三人称で書きましょう。


私は膝の上の猫をどかして立ち上がった。リナは水を飲むと再び椅子に座った。


私＝リナですが、一人称（私）と、三人称（リナ）が混ざり合っています。

私とリナの二人がいるように読めて、混乱するんですね。リナという名前の猫がいるようにも読めてしまうので、猫が水を飲んだと誤読する人もいます。

小説でもっとも大事なことは、誤読させないこと、自分の紡ぐ物語を、読者に正しく届けることです。人称は統一するようにしましょう。

視点

視点とは、文字通り見る（視る）点です。
二種類あります。

- 一元視点　主人公の肩にカメラを置いて、主人公の見ている範囲だけを書く（主人公の思いや主人公の視界だけを書く）。
- 神視点　神様が外から眺めているように、さまざまな登場人物の視界（心の中の思い）を書く。

一元視点（一人称）

恥（はじ）の多い生涯（しょうがい）を送って来ました。

自分には、人間の生活というものが、見当つかないのです。自分は東北の田舎（いなか）に生れましたので、汽車をはじめて見たのは、よほど大きくなってからでした。自分は停車場のブリッジを、上って、降りて、そうしてそれが線路をまたぎ越（こ）えるために造られたものだという事には全然気づかず、ただそれは停車場の構内を外国の遊戯場（ゆうぎじょう）みたいに、複雑に楽しく、ハイカラにするためにのみ、設備せられてあるものだとばかり思っていました。しかも、かなり永（なが）い間そう思っていたのです。

「人間失格」『人間失格・桜桃』太宰治／角川書店（1989初版、2007改版）

「私」の見えている範囲だけ、私の考えていることだけを書きます。一元視点ですね。私で書かれているので、一人称一元視点になります。

一元視点（三人称）

「この髪を抜いてな、この髪を抜いてな、鬘にしょうと思うたのじゃ」

下人は、老婆の答が存外、平凡なのに失望した。そうして失望すると同時に、また前の憎悪が、冷やかな侮蔑と一しょに、心の中へはいって来た。すると、その気色が、先方へも通じたのであろう。老婆は、片手に、まだ死骸の頭から奪った長い抜け毛を持ったなり、蟇のつぶやくような声で、口ごもりながら、こんなことを言った。


「羅生門」『羅生門・鼻・芋粥』芥川龍之介／KADOKAWA（1989初版、2007改版）

下人（身分の低い人のこと、一般庶民）と老婆の二人がいますが、下人の見ている範囲だけが書かれています。一元視点ですね。下人は老婆を嫌っています。老婆も下人に侮られていることがわかっています。ですが、老婆の心の中の思いは書かれていません。視点者（語り手＝下人）の肩の上にカメラを置いて、老婆を写している書き方です。

「下人は」で書かれているので、三人称一元視点になります。

神視点

「ずいぶん遠いね。元来どこから登るのだ」

　と一人が手巾（ハンケチ）で額を拭（ふ）きながら立ち留（ど）まった。

「どこか己（おれ）にも判然（はんぜん）せんがね。どこから登ったって、同じことだ。山はあすこに見えているんだから」

　と顔も体軀（からだ）も四角にでき上がった男が無雑作（むぞうさ）に答えた。


『虞美人草』夏目漱石／KADOKAWA（1955初版、2017改版）

　複数の人間が、山に登ろうとしています。複数の人が交互に現れて、自分の観ていることを話しています。こういう複数の人間の考えていること全部を書くやり方を神視点といいます。「一人が」「男は」で書かれているので、三人称神視点になります。

　このうち、今読んでもおもしろく読めるのはどれでしょうか？　太宰と芥川だと思うんですね。太宰はウェブ小説っぽいですよ。

夏目漱石が読みづらいですが、これは神視点で書かれているから。神視点は、現代では廃れてしまいました。神視点は、いろんな人の視点で書かれるので、誰にも共感できないんです。小説を書くときは一元視点で書きましょう。

少女が大きなリュックを背負って、バックパッカーとして旅に出るところを、お父さんとお母さんが応援しています。これを神視点で書くとこんな感じになります。

例文【三人称神視点】

百合は娘の瑠衣の背中に向かってガッツポーズをした。

「がんばれっ」

黙って見送るつもりだったが、つい声が出てしまった。

「気をつけて行ってこいよ」

栄介も握りこぶしを作った。

瑠衣は不安だった。一人で貧乏旅行なんて、海外なんて大丈夫なのか。英語は得意なつもりだけど、怖いことがあるのではないか。ましてコロナも収まっていないのに。両親は脳天気に応援しているが、不安で足が震えてしまう。

「行ってきます」

「行ってらっしゃいっ！　怖かったら戻ってきてもいいからね」

「あはは。やだな。お母さん。大丈夫だから」

瑠衣はリュックをゆすり上げると玄関のドアに手を掛けた。

「立派になったなぁ。お母さん。あんなに小さかったのに」

栄介はメガネを外して涙を拭った。子供の頃の瑠衣の姿が目のうらに浮かぶ。

「ほんとね。お父さん」

百合は娘をまぶしそうに見た。瑠衣のリュックを背負った背中が自信にあふれている。我が娘ながら勇気と行動力があってすばらしい。


お母さんの百合の心の中も、娘の瑠衣の心の中も、栄介の心の中も、登場人物の全員の思いを書くのが神視点です。お母さんの一元視点で書き直してみましょう。

【三人称一元視点・百合視点】

百合は娘の瑠衣の背中に向かってガッツポーズをした。

「がんばれっ」

黙って見送るつもりだったが、つい声が出てしまった。

「気をつけて行ってこいよ」

夫の栄介も、握りこぶしを作っている。

「行ってきます」

「行ってらっしゃいっ！　怖かったら戻ってきてもいいからね」

「あはは。やだな。お母さん。大丈夫だから」

瑠衣はリュックをゆすり上げると玄関のドアに手を掛けた。

「立派になったなぁ。お母さん。あんなに小さかったのに」

夫も、メガネを外して涙を拭っている。

「ほんとね。お父さん」

百合は娘をまぶしそうに見た。瑠衣のリュックを背負った背中が自信にあふれている。

我が娘ながら勇気と行動力があってすばらしい。

お母さん視点で書くと、瑠衣の心の中はわかりません。小説というのは不自由なものです。ですが、現代の小説は、そうした不自由さも含めて楽しむものなのです。

73ページの例文を、三人称一元視点・父視点で書き直してください。

課題20 解答例

妻の百合が娘の瑠衣の背中に向かってガッツポーズをした。

「がんばれっ」

「気をつけて行ってこいよ」

栄介も握りこぶしを作った。出発の緊張からか、娘の足が震えている。

「行ってきます」

「行ってらっしゃいっ！　怖かったら戻ってきてもいいからね」

「あはは。やだな。お母さん。大丈夫だから」

瑠衣はリュックをゆすり上げると玄関のドアに手を掛けた。

「立派になったなぁ。お母さん。あんなに小さかったのに」

栄介はメガネを外して涙を拭った。子供の頃の瑠衣の姿が目のうらに浮かぶ。

「ほんとね。お父さん」

妻が娘をまぶしそうに見た。瑠衣のリュックを背負った背中が自信にあふれている。

課題21

73ページの例文を、三人称一元視点・娘視点で書き直してください。

課題21 解答例

母の百合が瑠衣に向かって声をかけた。よほど応援されているのだろう、背中に強い圧を感じる。

「がんばれっ」

「気をつけて行ってこいよ」

振り返ると、父の栄介も握りこぶしを作っていた。

瑠衣は不安だった。一人で貧乏旅行なんて、海外なんて大丈夫なのか。英語は得意なつもりだけど、怖いことがあるのではないか。ましてコロナも収まっていないのに。

両親は脳天気に応援しているが、不安で足が震えてしまう。

「行ってきます」

「行ってらっしゃいっ！　怖かったら戻ってきてもいいからね」

「あはは。やだな。お母さん。大丈夫だから」

瑠衣はリュックをゆすり上げると玄関のドアに手を掛けた。

「立派になったなぁ。お母さん。あんなに小さかったのに」

父は涙声になっていた。

「ほんとね。お父さん」

母のキラキラした視線に押されるようにして家を出た。

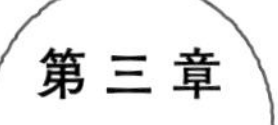

ストーリー

すべてのお話は起承転結でできている

京都三条 糸屋の娘　姉は十八 妹は十五　諸国大名弓矢で殺す　糸屋の娘は目で殺す

これは江戸時代の端唄(はうた)の一節です。端唄というのは流行歌(はやりうた)のことで、今でいう歌謡曲ですね。

いろんなバリエーションがあって、京都三条が大阪本町になっていたり、弓矢ではなく刀で殺したり、作者の名前も諸説あり、平賀源内が作ったという説もあれば、頼山陽が作ったという人もいます。

起承転結の元祖的な歌だと言われています。

諸国大名は武器で殺すのに、美人姉妹は流し目をくれるだけで男がみんな夢中になり骨抜きになる、という意味です。

意外なオチがついていておもしろいですよね。

起　**京都三条 糸屋の娘**（あるとき、あるところに、ある人がいた）はじまり

承　姉は十八　妹は十五（そのある人はこういう人である）補足説明
転　諸国大名弓矢で殺す（ところがまったく違うことが起こった）山
結　糸屋の娘は目で殺す（とうとうこうなってしまった）オチ

起承転結は国語の授業で勉強したことがあるはずです。

起　はじめにあることが起こった。（はじまり）
承　そのあることがどんどん激しくなる。（補足）
転　ところがまったく違うことが起こった。（山）
結　とうとうこうなってしまった。（オチ）

ロマンス詐欺も起承転結でできている

これは私に来たスパムメールです（82ページ）。これがまあ、見事な起承転結になっているんですよ。この詐欺師、なかなか文才ありますね。

詐欺メール

（起）突然のメールすいません。某有名タレントのマネージャーです。

本人の希望であなたとどうしてもお話したいと‥。最近テレビや取材、雑誌の特集などで忙しく、私から見ても精神的に疲れてるようで‥

（承）お恥ずかしい話、私では本人をケアできなくて…

実は一緒に本人が求める方を探していたんです。

あなたに何か感じる所があったらしく、メールしておいてくれ、と言われました。

（転）http://*****

ここに登録をしてもらってもいいですか？本人からメールをさせます。

私はマネージャーとしてどうにか支えたいと思い、
事務所に内緒で要望に答えてあげようと思ったのですが、
結局は事務所にばれてしまいました。

今、私が出来ることはこれぐらいしかないのです。

このプチメに返信くださっても返せない場合が多いと思います・・・

決して甘くない世界です、ご理解願います。

もちろん、これは私と本人からの一方的なあなたへのお願いになりますので、
色々なご事情で連絡を取って頂くことがご無理であれば仕方ありません。

（結）もし可能でしたら本人を助けてください。

突然の長文で失礼致しました。

よろしくお願い致します。

一瞬ドキッとしてしまって、騙されそうになりました。

起　あるとき、あるところに、有名タレントがいて、あなたに興味を持った。（はじまり）

承　あなたに対する思いが激しくなり、メールした。（補足説明）

転　ところがまったく違うことが起こる。有料サイトに登録してくれ。（山）

結　とうとう助けてくださいとお願いした。（オチ）

有料サイトに誘導し、ロマンスをしかけて、お金を搾り取ることが目的です。よく考えてあって、男性でも女性でもOKなように書いてあるんですよ。

起承転結は、お話の骨です。お話は読者の心を動かすことなんです。

詐欺師すら起承転結を駆使しています。作家はそれ以上に起承転結を極めましょう。

いろんなお話の起承転結

私は映画やアニメを見るたび、ノートにあらすじを書き出しています。作家は無から有を造り出しているわけではありません。自分の中の引き出しに入れたストーリーのかけらや会話、出来事（エピソード）、実体験を取り出して、並べ直しているだけです。

映画やニュース、日常生活の小さなできごと。電車の中で聞いた素敵な会話。そうしたことを書き出しています。

１００円ショップで買ってきた三冊１１０円のノートがお気に入りです。ボールペンを挟んでバッグの中に入れています。小さいので邪魔になりません。

ノートを取る作業は、自分の中の引き出しに入れる作業です。

スマホのメモ帳でも何でもいいので、印象的な出来事があるたび、メモを取るようにしましょう。

いろんなお話の起承転結を書き出しますが、これは私のあらすじノートから転載したものです。

・恋愛もの（ハッピーエンド）なら

起　はじめに少年と少女が出会う。（出会い、はじまり）
承　少年と少女が仲良くなった。（仲良くなる）
転　ところがケンカしてしまった。（障害、山）
結　とうとう仲直りした。（結果、オチ）

・悲恋ものなら

起　はじめに彼と彼女が出会う。（出会い、はじまり）
承　彼と彼女が仲良くなった。（仲良くなる）
転　ところが彼女が病気だった。（障害、山）
結　とうとう死んでしまった。（結果、オチ）

・乙女系なら

起　はじめにヒロインが、イケメン高スペックヒーローと出会う。（出会い）

承　ヒーローは、ヒロインを気に入って娶る。（仲良くなる）
転　ところが、ヒロインはヒーローの愛情を疑ってケンカしてしまう。（障害）
結　とうとう、ヒロインとヒーローは仲直りした。（オチ）

・「ドラえもん」なら
起　はじめにのび太くんに困ったことが起こり、ドラえもんに泣きつく。（はじまり）
承　ドラえもんは未来の道具を貸してくれた。
転　ところがのび太くんは調子に乗って、未来の道具を使いすぎてしまった。（山）
結　とうとう未来の道具が壊れてのび太くんはひどい目にあった。（オチ）

・カンフーものなら
起　はじめに青年は、腕自慢の男から仕掛けられ、戦いに巻き込まれる。（はじまり）
承　青年は、腕自慢の男と戦い、圧倒する。
転　ところが、腕自慢の男は、巨悪の用心棒とプライドをかけて戦い、殺される。（山）
結　とうとう青年は、用心棒と戦い、巨悪を退ける。（オチ）

・「水戸黄門」なら

起　はじめに黄門様ご一行が困っている村人と出会う。（はじまり）

承　困っている内容は、無理無体を言うお役人だった。

転　ところがお役人に村人が殺されてしまった。（山）

結　とうとう「こらしめてやりなさい」と黄門様が言い、お役人はこらしめられた。（オチ）

・「シンデレラ」なら

起　はじめにシンデレラは継母と義理の姉たちに虐められていた。（はじまり）

承　シンデレラに魔法使いが魔法を掛けてくれて、パーティに出席し、王子さまと踊る。

転　ところが、12時の鐘とともにシンデレラの魔法が解けて帰る。（山）

結　とうとうシンデレラが捜し出され、王子さまと結婚する。（オチ）

・「鬼滅の刃」なら

起　はじめに炭治郎は、家族を鬼に殺され、妹を鬼に変えられてしまう。（はじまり）

承　妹を人間に戻し、鬼を退治するため、鬼殺隊に入る。修行と戦いの日々が続く。

転　ところが鬼のリーダー無惨様が、上弦の鬼を集めて、もっとがんばって人間をやっつけるようにと叱りつけ、戦いが激しくなる。（山）

結　とうとう最終決戦。無惨様は退治され、妹は人間に戻ることができた。（オチ）

あらすじを書き出すのは、意外と大変です。はじめて書くと、長くなってしまいます。

「誰が何をしてどうなった」

という一行でいいので、あらすじを書き出す習慣をつけてください。

課題22

あなたが最近観た映画やドラマや漫画のあらすじを一行で書き出してください。

課題22 解答例

・映画「とんかつＤＪアゲ太郎」

とんかつ屋の息子のアゲ太郎がクラブのＤＪになろうとしてがんばる話

課題23

課題22の映画のあらすじを、起承転結で書き出してください。

課題23 解答例

・映画「とんかつＤＪアゲ太郎」

起　渋谷のとんかつ屋の息子、アゲ太郎は、出前に行ったクラブで客を夢中にさせているＤＪを見て、ＤＪになりたいと思う。

承　ＤＪのオイリーさんに弟子入りしようとするが「自由にやりゃいいんだよ」と言われて、動画投稿サイトにＤＪ動画をアップして人気になる。オイリーさんがアパートを追い出されて、アゲ太郎の友達の家の倉庫に転がりこんできた。オイリーさんがアゲ太郎を教えて、ＤＪデビューさせる。

転 だが、ＤＪデビューはさんざんな出来で、オイリーさんが怒られてしまった。もう二度とＤＪをしないというアゲ太郎に、友達が、ＤＪコンテストの出場を勧める。とんかつを揚げるのも、ＤＪで客をアゲるのも同じだと思ったアゲ太郎は、コンテストに出場する。

結 コンテスト。見事なＤＪで客を夢中にさせたアゲ太郎は、とんかつ屋に戻ってとんかつを揚げていた。客をアゲることと、とんかつを揚げることは同じだから。

五分でお話を作ろう

自分の中から自分の体験や思いを取り出して並べ直した小説を、私小説と言います。私小説は、私のことを書くこと。もちろん私小説を書いてもいいのですが、おもしろく書くのには大変な技量が必要になります。

人間の体験というのは、だいたいみんな同じで、普通の人間の普通の思いというのは、普通すぎて退屈に思えてしまうのです。

普通の感情を文学的に書く人は、純文学作家になりますね。

読者に楽しんでもらうためには、お話に飛躍が必要です。

小説は、楽しい嘘をついて読者に楽しんでもらうもの。

嘘の自己紹介をしましょう。

まず、例を出します。

起　はじめに、私は実は吸血鬼なんです。（はじまり）
承　吸血鬼なので、私は血を吸うかわりに精気をプレゼントします。
転　ところがコロナ禍で、私に血を吸われると病気にならないと人気です。（山）
結　とうとう行列ができて満腹ですけど、まだ血を吸わなくてはならず大変です。（オチ）

これだけで起承転結ができていて、ちゃんとオチのついたお話になっています。

課題24

嘘の自己紹介を書きましょう。

起　はじめに、私は実は〇〇なんです。
承　〇〇なので××します。
転　ところがこんなことが起こりました。
結　とうとうこうなりました。

テンプレートに文字を入れて、あなただけの小説を書いてください。五分で執筆することができますよ。考え込まずに思いつきで書いてください。三つ書いてくださいね。五分で書ける自己紹介テンプレートを次のページにつけていますので、書き込んでください。こういう箱の中に文章を書いていってお話を考えるテクニックを箱書きといいます。

嘘の自己紹介テンプレート

起	はじめに 私は実は なんです
承	なので します
転	ところがこんなことが 起こりました
結	とうとう こうなりました

課題24 解答例1

私はホームレスのふりをしていますが、実は新聞社の社長なんです。優秀な社員たちが、相手を問わず情報の取捨選択が出来るかを知るために、高層ビルの前で水晶玉片手に占い師をしています。ところが私の思惑を大きく裏切り、そもそも社員たちはホームレスである私に目線すら向けません。

社員たちが差別に抵抗のない心の持ち主だと知り、自分たちが出している新聞が偏った情報を出しているのではないかと疑心暗鬼になりました。とうとう誰も信じられなくなり、社員全員をクビにして自らの足で情報を集めるが、その情報すら信じられなくなってしまい、新聞を出せなくなりました。

課題24 解答例2

私は実は崩壊寸前の日本出身の未来人なんです。未来人なので今後日本に起こることを、私はすべて日本のお偉いさんに語ってあげました。

はじめは私が言った通りのことが次々に起こり、お偉いさんは次に起こる事態に先手を打ちますが、ある日を境に私の予言は当たらなくなってしまいました。

バタフライエフェクトが起こり、私の知っている未来が消えていたからです。

今の未来がどうなっているのかを確認すべく、未来に帰ろうとしますが、未来には戻れません。

とうとう私の身体は透けはじめ、私の居場所は無くなってしまいました。

課題24 解答例3

私は実は料理を一度食べれば、レシピを知ることが出来る神の舌の持ち主なんです。

神の舌の持ち主なので、シェフになりたいと夢見るクックに三ツ星シェフが作る料理のレシピを教えてあげました。

クックはそのレシピを元に研究に研究を重ね、腕を上げていき店を開きました。

ところが各地方にいる三ツ星シェフが文句を言いにクックの元へとやってきます。

「偽物に負ける不安があるなんて。よっぽど自分の料理に自信が無いんですね」とクックは言うと、シェフはこめかみに血管を血管を浮き上がらせて、自分の国に帰っていきました。

それでもパクリだとか偽物だと言われたことが引っかかったクックは、オリジナル料理を生み出すべく、再び料理の研究を始めます。

とうとうクックは誰にも文句を言われるどころか、称えられる存在へと変わりました。

なぜなら彼は、前人未到の五ツ星の料理を生み出したからです。

三題噺を書いてみよう

三題噺というのは、もともとは落語です。観客にお題（キーワード）を三つ出してもらい、その三つの題を使って、即興でお話を作り上げます。

三題「話」ではなく、「噺」なんですよ。噺家（落語家）が話す新しい出し物だから、口が新しいと書くのですね。

かつて、「ざこば・鶴瓶らくごのご」（朝日放送）というバラエティ番組がありました。ざこば師匠と鶴瓶師匠が、三題噺を即興でやる番組です。

バラバラなお題が、ざこば師匠と鶴瓶師匠が高座につき、扇子をぽんっと手のひらに打ちつけて語り出すと、ちゃんと起承転結のついたお話になっていきます。

私はすごいなーっと思いながら聞いていました。

三題噺は、マスコミやゲーム会社の入社試験でよく出るそうです。

担当編集者に入社試験のことを聞いてみたら、三題噺が出た人が三人、出なかった人が三人でした。

与えられたキーワードから即興でお話を展開するというのは、なるほど編集者の重要な資質ですね。

編集者は作家の書いた小説を読んで、もっとおもしろくなるようにダメ出しをする仕事です。ストーリーを考える力は、作家と同じぐらいに必要になります。

三題噺は、ストーリーを作る勉強に最適です。

考え込んでしまって筆が止まってしまう人は、三題噺を練習するといいですよ。

「ざこば・鶴瓶らくごのご」5回目のお題から、実際にお話を作っていきましょう。

暴走族・かさぶた・バーコード

まったく関連のないキーワードですね。
こんなのでお話なんてまとまるはずはないと思うかもしれませんが、簡単にできます。
それは、人物に注目することです。
小説には主人公がいます。
三つのキーワードの中から、人物に関連するものを選び出し、主人公にしましょう。
嘘の自己紹介、私は実は◯◯なんです。に当てはめるといいですよ。
小説は人間を書くものです。人間を中心にお話を作っていきます。

私は実は暴走族なんです。

さらに展開していきます。実は、というからには、暴走族をしていることが意外すぎる人物がいいですね。

若い人ではないから中年男。バーコードというキーワードを使いましょう。

私はバーコード髪のしょぼくれた中年男性だが、実は暴走族だ。

これで起承転結の起ができました。

承を考えましょう。しょぼくれた中年男で暴走族である「私」はどんな仕事をしてどんな生活をしているのでしょうか？　暴走族って夜だけだから、昼間は働いているんですよね。でも、夜に走ると、昼に眠くなりそうです。夜勤がある仕事がいいですね。

コンビニの店長として働きながら妻子を養っている。

嘘の自己紹介、承の部分、私は◯◯なので××しますを使います。

私はコンビニの店長で忙しいから、金曜の夜だけ暴走行為をしている。

昔はヤンチャだったかもしれないけれど、今はまじめな社会人である「私」が、なぜ暴走行為をしているのか考えましょう。承の後半部分です。

違法行為を行っているのではない。自警団だ。痴漢男やひったくり、強盗をやっつけている。

なんで「私」が自警団をしているのか考えましょう。転の部分、「ところがこんなことが起こりました」をちょっとだけ変えて、なぜこんなことをしているのか、を書きましょう。

私が若くてヤンチャだったとき、悪い男に無理矢理に車に乗せられそうになった女性を助けたのだ。格闘したさい右手を怪我した。彼女はお礼を言ってくれた「あなたって正義の味方ね」

結、とうとうこうなってしまった、を考えます。

「あなた。お疲れ様。おかずを持ってきたわよ」

妻がやってきて、タッパーを差し出した。私の右手のケガは、かさぶたとなって長く残っていたが、今はもう綺麗に治っている。そう、あのときの女性と私は結婚したのだ。

「ありがとう」

「あなた。今日も暴走族するの?」

「ああ。私は正義の味方だからな」


まとめます。


私はバーコード髪のしょぼくれた中年男性だが、実は暴走族だ。

コンビニの店長として働きながら妻子を養っている。そして、金曜の夜だけ暴走行為をしている。

違法行為を行っているのではない。自警団だ。痴漢男やひったくり、強盗をやっつけている。

私が若くてヤンチャだったとき、悪い男に無理矢理に車に乗せられそうになった女性を助けたのだ。私は右手を怪我した。彼女はお礼を言ってくれた。

「あなたって正義の味方ね」

思い出すだけでムズムズする。

私は時計を見た。そろそろ晩飯の時間だ。

妻がやってきて、タッパーを差し出した。

「あなた。お疲れ様。お弁当を持ってきたわよ」

私の右手のケガは、かさぶたとなって長く残っていたが、今はもう綺麗に治っている。

そう、あのときの女性と私は結婚したのだ。

「ありがとう」

「あなた。今日も暴走族するの？」

「ああ。私は正義の味方だからな」


ちゃんとお話ができました。三題噺は、人物を表すキーワードからお話を転がしていけばいいですよ。

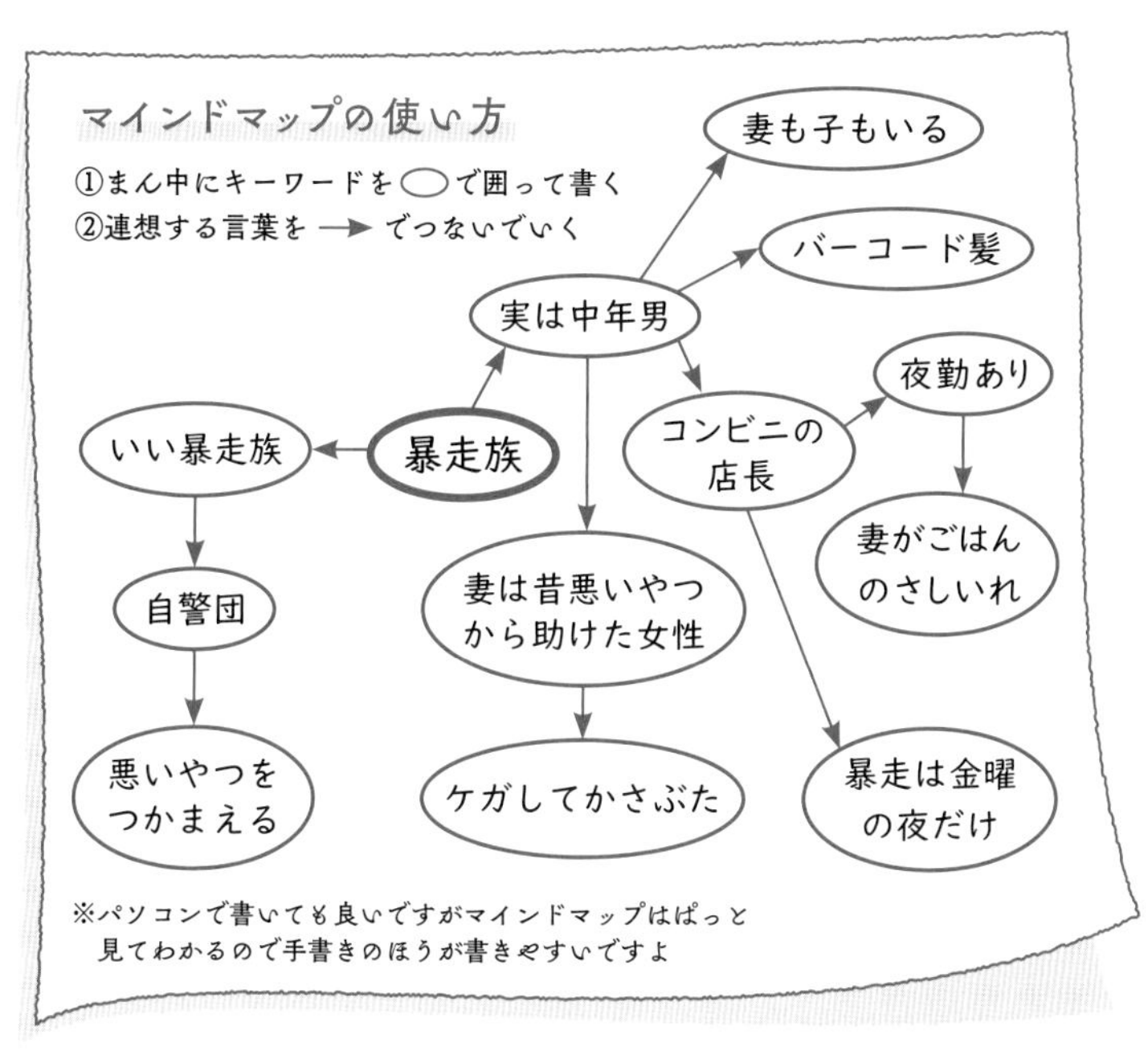

マインドマップを使ってみよう

暴走族から連想していき、キーワードを拾いながらお話を作り上げていくとき、マインドマップというやり方があります。

白い紙の上のほうにキーワードを書いて◯で囲み、↓で連想する文章を書いていきます。

マインドマップは、お話が視覚化されるのでぱっと見てわかりやすいのと、あれこれ模索することができるという良さがあります。カレンダーの裏紙のような、大きな紙がいいですね。

課題25

睡眠不足・紫陽花・厄介者から、お話を起承転結で考えてください。これは「ざこば・鶴瓶らくごのご」の55回目のお題です。

課題25 解答例

起　私は家でも会社でも役立たずの厄介者ですが、実は睡眠不足のせいなのです。

承　なぜ睡眠不足かというと、早朝、誰にも邪魔されない時間帯に紫陽花を見るのが、私の生きがいだからです。一人の世界に入り込み、花のかおりと整ったまんまるの紫陽花を見る度、私の心はとても癒されます。そのせいで睡眠不足となり、会社ではミスばかりの、家でも厄介者扱いなのです。

転　ところが、秋の初め、紫陽花が枯れてしまいました。私は生きがいを失いましたが、一方で睡眠不足は解消されました。現実世界は充実したように思えます。ですが私は、もう笑うことすら難しくなっていました。私にとっては紫陽花が全てだったのです。

結

冬が来て、春が来ました。とうとう限界を迎えた私は死にそうになっていました。どうせなら、と思い、紫陽花がかつて並んでいた、いつもの道に向かいます。すると、紫陽花が一面に咲き誇っていました。そうです。6月の紫陽花のシーズンになっていたのです。雨に濡れた紫陽花はとても綺麗でした。私は涙を流すとともに、笑顔を取り戻すことができたのです。私は再び、睡眠不足となってしまいました。しかし私は、とても幸せなのです。

課題26

女子高生・ロングブーツ・年金生活のお題で、起承転結のあるお話を考えてください。これは「ざこば・鶴瓶らくごのご」の211回目のお題です。

課題26 解答例

起 私は祖母と暮らす女子高生です。両親を幼い時に亡くしたため、年金生活の祖母と暮らしていました。

承 ある日、私はお店で格好良いロングブーツを見かけました。私はどうしてもそれが欲しくてアルバイトを始めました。

転 そしてお給料が入った日。「おばあちゃん。はい、これプレゼント」そう言って祖母に渡したのは、例のロングブーツでした。

結 私の祖母は若い頃にモデルをしていました。そして今は「もうこの年齢だから」と言って履こうとしませんでしたが、本当は今でもおしゃれな靴やファッションが好きなことを知っていました。プレゼントしたロングブーツを履いて歩く祖母は、とても格好良かったです。

嘘の自己紹介と三題噺は、小説の筋トレです

嘘の自己紹介や三題噺を小説教室の生徒さんにチャレンジして頂くと、こんなことをしても小説の役には立たない、という人がいます。

三題噺は、宴会芸でしかない。即興でお話を作り上げて、それでどうなるのか？　作家は落語家ではない。小説は時間をかけて書くものだ、と言われます。

その通りですが、私は嘘の自己紹介と三題噺は、小説の筋トレだと思っています。

筋トレをしても、いきなり格闘技が強くなるわけではありません。ですが、起承転結を意識してお話を考え、オチをつける練習は、小説の基礎体力をつけます。

私は売れていたとき、年に十三冊書き下ろしをしていました。

一冊の小説を出版するには、打ち合わせをして企画書を書き、企画会議でゴーが出てから書き始めることになります。小説を書き上げても、編集者からの直し指示や、ゲラチェックなど、たくさんの段階を踏みます。小説の執筆の時間は十日ほどでした。

原稿用紙350枚、10万字の小説を、十日ほどで書いていたのです。

しかも、小説を書ける時間は一日のうち、五時間ほどしかありませんでした。

夫は出張の多い会社員で、子供二人をワンオペ育児していました。社宅住まいだったので、ママ友とのつきあいや掃除当番も、無難にこなさなくてはなりません。

一時間のノルマは原稿用紙7枚です。そんな生活を5年ぐらい続けました。

それが可能だったのは、小説の筋力と基礎体力があったから。

ライター出身で、たくさん書くことになれていたのです。

基礎体力があると強いですよ。

みなさんも、小説の筋トレをして、基礎体力をつけましょう！

ウェブ小説を書く人は、オチをつける練習が必要です

嘘の自己紹介と三題噺をおすすめするのは、他にも理由があります。ウェブ小説が好きな人は、オチをつける練習が必要だと考えているからです。

現在、私の小説教室に通ってくださっている方や専門学校の生徒さんは、「小説家になろう」や「カクヨム」のようなウェブ小説が好きで、自分でも書いて発表している方が多いです。

ウェブ小説投稿サイトは、一般の書き手が短いお話を毎日のようにアップして連載します。読者の支持を得てポイントが高くなると、オファーが来て書籍化されます。

小説教室で若い人の長編小説を拝読すると、起承転結がなく、途中でお話が切れてしまっていることがあります。登場人物の行動にも一貫性がなく、キャラがぶれぶれで、エピソードにつながりがありません。

そういう人に聞いてみると、「小説家になろう」や「カクヨム」にアップしたものだと言うのですね。

ウェブ小説は、十分ほどで読めるおもしろいお話を一話ずつアップして、連載を続けることが要求されるので、全体を貫くストーリーがおざなりになりがちです。

「いきなり長編を書くのではなく、あらすじを先に書いて見せてください」とお願いすると、「あらすじは書かない。その場のノリで書く。ウェブ小説はそういうものだ」と言われました。

その場のノリで書いても、キャラがぶれず、お話がまとまる人もいますが、私は無理です。職業小説家の九割は無理だと言うでしょう。

ウェブ小説を書いている人は特に、起承転結を考えてあらすじを書いてオチをつける練習をしてほしいのです。

「三題噺のお題メーカー」（https://shindanmaker.com/58531）というサイトがあります。名前でも単語でも本のタイトルでも数字でも、何か単語を入力すると、ランダムな単語を三つ出してくれるというサイトです。

こうしたサイトを利用して、一日にひとつ、三題噺を作ってみませんか。

ウェブ作家さんは小説を書くことに慣れています。起承転結がなくお話に唐突感があり、オチがつかずに終わるというストーリー面の欠点を解消すれば、作品をよりおもしろくすることができますよ。

ログラインを意識しよう

ログラインというのは、ストーリーを一行で言い表すものです。あらすじを書くとき、「誰が何をしてどうなったか」を書き出してほしいと説明しましたが、これがまさにログラインなんですね。

お話を貫く一本の骨です。

長期連載をしている漫画は、ログラインがしっかりしています。

「ワンピース」は、「ルフィが冒険をして海賊王になる話」です。ルフィは一巻で、「海賊王にオレはなる」と言っています。

「ちはやふる」は、「女子高生がかるたの練習をしてクイーンになる話」です。冒頭は袴姿の千早がクイーン戦で戦うシーンです。

「鬼滅の刃」は、「炭治郎が鬼に変えられた妹を助けるため、鬼退治をする話」です。冒頭は炭治郎が妹の禰豆子(ねずこ)をおんぶして雪の中を走り、「兄ちゃんが絶対助けてやるからな」とつぶやくシーンです。

「デスノート」は、「夜神月(やがみライト)が名前を書くと死ぬノートを手に入れて、新世界の神となるためにがんばる話」です。月がつぶやく「僕は新世界の神となる」は名台詞ですね。

「ナルト」は、「ナルトが火影になる話」です。火影は、忍者の里のリーダーで、最も強い忍者の代名詞なのです。忍者の里に生まれたナルトは、リーダーになりたいのです。

「HUNTER×HUNTER」は、「ゴンがハンターになる話」です。ゴンは「オレ、ハンターになるから」と一話目で話しています。ハンターはハントする（狩る）者です。ゴンの父親がハンターだったから、ハンターになることはゴンの父親探しでもあるのです。

「東京卍リベンジャーズ」は、「東京卍會の抗争に巻き込まれて死んでしまう恋人のヒナを救うため、武道(たけみち)がタイムリープして未来を変える話」です。

最近の作家志望者の傾向ですが、ログラインが弱い人が多いです。ウェブ小説が好きで、自分でもウェブ小説を書きたい方は、ログラインという考え方そのものがないようです。

映画「パラサイト 半地下の家族」のように、ログラインがねじれていても、無茶苦茶おもしろくて、意外なラストにびっくりさせられるお話もあります。

ですが、「パラサイト 半地下の家族」はアカデミー監督賞を受賞した化け物です。しかも、俳優は、カンヌ国際映画祭などで数々の賞を取った名優ソン・ガンホです。

ソン・ガンホ演じるギテクは、善良な人間です。そのまじめな男性が、衝動に駆られてとんでもないことをしてしまう「魔が差す」瞬間を説得力をもって演じている。これが普通の俳優なら「何でこの人いきなりこんなことをするの?」と視聴者をぽかんとさせてしまうでしょう。

凡人が「パラサイト 半地下の家族」の真似をしても失敗します。

第四章

執筆

印象的なワンシーンを小説にしよう

小説執筆のための前段階として、ログラインを生かして小説を書く練習をします。今回はヒーローバトルものでお話を考えます。ヒーローバトルものというのは、かっこいいヒーローが敵と戦うお話だと考えてください。

ヒーローもののログラインは

「A（ヒーロー）がB（ヴィラン、敵）とCで戦ってDになる話」です。

いくつか例をあげますね。

例　体力のないずるい少年がなんでも検索できるすごいスマホを与えられて、これまたスマホ持ちの謎の悪人と頭脳ゲームをする話（「すごいスマホ」）

例　警察官だが公正取引委員会に出向を命じられ、困惑しながらズルをする企業と戦う話（「競争の番人」フジテレビ）

例　普通の少年が囲碁の天才の霊に取り憑かれ、囲碁の天才少年と囲碁で戦いプロ棋士になる話（「ヒカルの碁」）

例　地球を調べに来た宇宙人が猫のかわいさと戦う話（「カワイスギクライシス」）

ヒーローもののログライン、

「A（ヒーロー）がB（ヴィラン、敵）とCで戦ってDになる話」に単語をあてはめていくとお話ができますよ。次のページの箱書きシートに書き出してください。

AからDを並べると起承転結ができて、ヒーローバトルもののお話ができます。

ヒーローものの箱書きシート

Aはどんな人ですか？　ヒーローらしい正義感あふれる人もいいですが、ギャップがあるとおもしろくなります。

（例　家族思いのまじめで小心者の炭焼きの少年（「鬼滅の刃」の炭治郎）、泳げないのに海賊になりたい少年（「ワンピース」のルフィ）、警察長官の息子で頭が良いのに神になると言い出す頭のいかれた少年（「デスノート」の月）、正義感がありすぎて邪魔者は仲間でも殺したい変身ヒーロー（「暴太郎戦隊ドンブラザーズ」のジロウ）

Bはどんな人ですか？　悪人らしい悪人でもいいのですが、ギャップがあるとおもしろくなります。

（例　意地悪で嘘つきでイタズラが大好きでちょっと間抜け（「アンパンマン」のばいきんまん）、おだやかないい人そうに見えるが、実は黒幕、しかも無茶苦茶強い（「BLEACH」の藍染惣右介（あいぜんそうすけ））、残酷非道な性格をしているが、洗剤のボトルのような外見と甲高い声「私の戦闘力は53万です」（「ドラゴンボール」のフリーザ様）、名家の頭首であり、生真面目で正義感があって人望もあるが、能力や資質が劣っていて、彼が何かするたび味方も敵も死にまくる。権力を持った勤勉な無能であり、トップにいると組織が壊滅してしまう人（「機動戦士ガンダム 鉄血のオルフェンズ」のイオク・クジャン）

C　戦いはどんな戦いですか？　変身して戦ったり、空手や格闘術で戦ってもいいのですが、ギャップがあるとおもしろくなります。

（例　頭脳ゲームで戦う、囲碁や将棋で戦う、成績で戦う）

D　そしてどうなりましたか？

課題27

ヒーローもののログラインを十個考えましょう。AからDまで全部書かなくてもいいですよ。デスゲームみたいな話だと、敵が多すぎるため敵を書くことができません。テスト勉強をがんばって自分に打ち勝つ話でもヒーローバトルはできあがります。

「誰が何をしてどうなる話なのか」を書くようにしましょう。なるべく意外性のある話にしてください。

課題27 解答例

- 失脚した政治家がスーパーで働き、話術を使ってクレーマーと戦う話。
- 転生した経理OLが生前の知識を使って、今にも破産しそうな後宮で経理をがんばって成り上がる話。
- 花屋のバイト娘が華道家元の青年と知り合って、敵流派の家元と生け花バトルで戦う話。
- デスゲームに巻き込まれた普通の会社員が、名刺手裏剣やネクタイムチやパソコンで戦う話。

- 平凡に生きてきた主婦が、子供の空手教室を送り迎えするうち、空手を習い始め、空手の達人になる話。
- 伝説のデイトレーダーと言われた男性が暴落で全てを失い、介護施設で介護士として働くが、介護施設が破産寸前であることを知り、再びデイトレードで大もうけをする話。
- ぽっちゃりな女性が恋人に振られたことで、ダイエットをがんばって体重と戦い、すっきりした体型になるが、自分に自信がついた女性はひとりで明るく生きていく話。
- 殺し屋の主人公が、暗殺対象の女性を好きになってしまい、組織と戦い、女性を守る話。
- 女性陰陽師である主人公が、怪異祓い武道会に強制参加させられてしまい、エクソシストや巫女、天使たちとバトルするが、実は怪異によって仕組まれていた。皆は力を合わせて怪異たちを撃退する。
- チアリーダー部に入部した少年が、女の子だらけの部活でがんばって、県大会を勝ち抜く話。

似ていることは気にしなくていい

ログラインを書いてみたけれど、このあいだ読んだ小説や、映画やアニメや漫画と似てしまった、という方がいらっしゃることでしょう。気にしなくても大丈夫ですよ。繰り返しになりますが、作家は無から有を造り出しているわけではありません。見たり聞いたりしたことや、いろいろな体験、読書や映画やアニメや漫画をいったん自分の中に取り込んで、自分というフィルターを通して取り出したストーリーの部品を並べ直しているだけなんです。お話は同じでも、書く人によってまったく違うお話になります。

それが個性であり、小説を書くことのおもしろさなのです。

小説を書いてみたら、影響を受けた話とはまったく違うものになっていますよ。

ログラインができたら、あらすじはほとんど完成しています

誰が（起）何をして（承）どうなって（転）どうなる話か（結）。

ログラインを書いたことで、すでに起承転結ができています。もちろんこれはストーリーの骨でしかないのですが、ログラインを基に、詳しいあらすじを書いてみましょう。あなただけのストーリーができあがります。

課題27のログラインからひとつ選び、起承転結を書きましょう。

課題28 解答例

・平凡に生きてきた主婦が、子供の空手教室を送り迎えするうち、空手を習い始め、空手の達人になる話。

起 子供たちばかりの空手教室で、空手をするヒロイン。子供のつきそいで始めたけど、空手って楽しい。

承 ヒロインはどんどん空手が上手になり、試合に出るよう誘われる。ケガをしてしまい、姑に家事を変わってもらったところ、姑に嫌味を言われる。主婦が強くなってどうするっていうの？

転　空手教室を休む。買い物をしているとき、すりを見つけて足払いを掛け、お店の人に感謝される。子供に、お母さんカッコイイ、と言われる。主婦が強くなってもいいじゃない？　主婦は再び空手教室に通う。

結　大会。家族と姑が観ている前で、主婦は空手の試合で優勝する。

執筆の練習は、まずはワンシーンから

ログラインを書いたとき、あなたはバトルシーンを想像しながら書いたのではありませんか？　こんなシーンを書きたいと思ったはずです。書きたいと思ったところを文章にしてみましょう。

課題29

課題27で書いた一行あらすじ（ログライン）から、あなたの書きたいシーンを文章にしましょう。

課題29 解答例

・花屋のバイト娘が華道家元の青年と知り合って、敵流派の家元と生け花バトルで戦う話。

桃子は竹に花切刀を当て、一気に裂いた。太い竹がぱんと乾いた音を立てて半分に割れた。

観客席からどよめきが起こる。

「ねえ、観て！　あの女の人すごい!!　あんなほっそい包丁で、すいすい割っていくよっ」

花生けバトルの出演者は、家元やフラワーアーティストが多いので、流木や竹を扱う人も少なくない。

だが、ほっそりした桃子が太い竹を花切刀で裂いていく様子は鮮やかで、観客の注目を集めずにはおられない。

裂いた竹を円錐状に組み立てる。

「針金を使わずに竹を組んでいますよ。これはどういうテクニックですか？」

「寄せ木細工の応用ですね。華道はバランスの美なんです。この挑戦者はバランス感覚がすばらしい。この若さでこんなことができるなんて信じられない」

解説者の煽るような声がいらだたしい。

手が滑り、竹がからからと崩れていく。

「きゃあっ」

観客席から悲鳴があがった。

顔からスウッと血の気が引いた。舞台を照らす照明で暑いのに、身体の芯が凍り付く。あんなに練習したのに、まさか本番の花生けバトルで失敗するなんて。組んだ竹は花器の上で横倒しになっている。

（落ち着け。落ち着くのよ、私）

桃子は自分の頬を両手で叩いて喝を入れた。塔のように高く組み上げたかったのだが仕方がない。竹の間に花を刺していく。

天の花は大輪の菊。コスモスは人の位置にあしらい、トルコキキョウは地の位置に。

「すごい！　崩れた竹を剣山にしたぁっ！」

未来道具でショートショートを書いてみよう

ショートショートというのは、オチのついた短いお話です。ショートショートのコンテストはさかんに開催され、賞金も多いです。大きいところでは星新一賞と坊っちゃん文学賞ですが、投稿サイトが独自で開催しているコンテストもありますね。

ショートショートを収録した本はたくさん出版されています。特に学研の「5分後に意外な結末」シリーズは良く売れていますね。

短くてすぐに読めるお話は、忙しい今の時代にぴったり合うからでしょう。SNSとも親和性が高く、読むだけではなく書いて楽しいお話です。

この節では、ショートショートの書き方を解説します。実際に書いて投稿しましょう。

ショートショートで有名な星新一は、生涯で1000作以上のショートショートを作ったのだそうです。星新一はお亡くなりになりましたが、いまだに星作品はドラマ化され、読み継がれています。

星新一のショートショートは、二つの大きなバージョンに分類できます。

・未来道具
・悪魔のささやき

悪魔のささやきというのはジャンルの名前です。星作品には、「悪魔のささやき」というタイトルのショートショートも存在するようですが、私は読んでいません。悪魔が甘い言葉をささやくが、甘言に乗った人間はひどいめに遭うというお話です。

未来道具というのは、ある人が未来道具（便利な動物）を便利に使うが、その未来道具には困ったところがあり、とうとうこうなってしまった、というお話です。未来道具のお話をひとつ紹介します。

・「おーい でてこーい」（『ボッコちゃん』新潮文庫、1971初版、2012改版、所収）

起 あるところに大きな穴があった。

承 穴に向かって「おーい、でてこーい」というが返事はない。ゴミを捨てても捨ててもいっぱいにならない。

転 ところがあるところで「おーい、でてこーい」という声が聞こえた。

結　石が落ちてきた。

おそらくこの先はゴミの山になるのでしょうが、そこまでは書かず、読者に考えさせるのが星新一の書き方です。星新一は、小説に現代性を持たせるために、何度も書き直しをしたそうです。私は若い頃に買った本からあらすじを書き出したのですが、今発売されている本とはお話の細部が違っているようで、編集者が新刊をチェックしてくれました。

星新一の小説は、固有名詞や地名が出てこないという特徴があります。国の名前も出てこないし、主人公の名前もアルファベットや不思議な名前で、キャラもわざと立てていません。エヌ氏やアール氏、美女ロボットの名前はボッコちゃん。幼女の名前はハナコちゃん。ある日突然できた大穴に向かっておーいと叫んだ人は誰なのかさえわかりません。

アイデアを際立たせるために、わざと普遍性のある書き方をしているのだと思います。ですが、アイデアだけで小説を書くのは大変です。星新一やごく一部の天才だけができる離れ業です。

また、星新一が亡くなってから四半世紀が過ぎて（「四半世紀が過ぎて」というのは星新一風の書き方です。星作品は25年とか具体的な時間を書かないんですね）、小説は読者がキャラクターに感情移入して楽しむ娯楽に変化しました。そのため、現代に生きる私たちは「誰が」を先に考えるほうが書きやすいと思います。

「誰が」がわかりやすいお話を二つ紹介します。

- 「九官鳥作戦」（『きまぐれロボット』角川文庫、1972初版、2006改版、所収）

起 あるところに森に引きこもって暮らす男がいた。彼は九官鳥が友達で、九官鳥を使ってダイヤモンド（軽いから）を泥棒することを思いついた。

承 九官鳥を家に行かせて、「爆弾を積んでいる。爆弾を落とされたくなかったら、足の革袋に宝石を入れろ」というような脅迫をさせる。

転 ダイヤがどんどん集まった。

結 男はダイヤを金に換えるために人里に行く。ダイヤは人工的に作ることができるようになっていて二束三文だった。男は森に引きこもっていたため、知らなかったのだ。

- 「花とひみつ」（『きまぐれロボット』角川文庫、1972初版、2006改版、所収）

起 花の好きなハナコちゃんは、花の世話をするモグラの絵を描いたが、風に飛ばされてしまった。

承　小さな島の秘密の研究所にその絵が落ちた。本国からの指示だと思った博士は、花の世話をするモグラロボットを開発する。

転　本国はそんなもの指示していないと激怒し、研究所を解散する。

結　モグラロボットは働き続けた（世界は花でいっぱいになるのだろうな、と思わせるところで終わる）。

●未来道具の起承転結

起　はじめにある人が、未来道具（便利な動物）を手に入れる。

承　その未来道具を使うのがどんどん激しくなる。

転　ところが、その便利なものには、ある欠点（不便、副作用）があった。

結　とうとうこうなってしまった。

次ページの未来道具テンプレートを使い、お話を考えましょう。

回答は、Q3、Q1、Q2、Q4、Q5の順に並べ直してください。

未来道具テンプレート

Q1 あなたが日常生活の中で感じるしんどいこと、めんどくさいこと、だるいこと、不便なこと、不満なことを教えてください。

（例　スーツケースを引いて歩くのがしんどい。料理をするのが面倒。スポーツクラブに行くのがだるい。スーパーが遠いので買い物が不便。動画をアップしてるのにイイネの数が少なくて不満）ありったけ、たくさん書いてください。

Q2 どんな便利道具があれば、あなたのしんどい、めんどくさい、だるい、不便、不満を解消できるでしょうか？

（例　犬みたいに私のあとをついてくる自走式スーツケース、料理が出てくる魔法のレンジ、私の代わりに運動してくれて、運動効果だけが私に反映されるロボット、私の家に来てくれる移動式スーパー、イイネが自動的に集まる動画サイト）

Q3 Q2の便利道具を使いたい人は、あなた以外だとどんな人でしょうか？

（例　犬みたいに私のあとをついてくれる自走式スーツケースなら、超多忙なビジネスマン、料理が出てくる魔法のレンジだと自炊している学生というふうに、具体的に書いてください）

Q4 Q2の便利道具には、ある欠陥（欠点）がありました。その便利さゆえの欠点です。おいしい料理が出てくる魔法のレンジなら、そのおいしさゆえに食べすぎてしまうとか、いろいろ考えられると思います。どんな欠陥でしょうか。

（例　犬みたいに私のあとをついてくれる自走式スーツケースなら、スーツケースがかわいすぎて、手元から離すことができない。飛行機に乗っても、貨物として預けることができない）

Q5 Q2の便利道具を使い続けると、とうとうこうなってしまいました。どうなったのでしょうか？

（例　犬みたいな自走式スーツケースがかわいくてかわいくて、私は会社をやめてしまった。今は「Zoom」を使って、家でできる仕事をしている。ランニングが私の楽しみだ。スーツケースが私のあとをついてくるとき、楽しくてならない。お金は減ってしまったが、私は幸せだ）

Q3　出張の多い会社社長。
Q1　太っているため、スーツケースを引いて歩くのがしんどい。
Q2　犬みたいに私のあとをついてきてくれる自走式スーツケース。
Q4　けなげでかわいくて、情が移ってしまった。
Q5　社長は会社を畳み、家で仕事をしている。スーツケースと一緒にランニングをするのが楽しみだ。

あらすじに肉づけするとショートショートができます。ショートショートは短くてキレのいいストーリーです。言葉を補う程度にして、あまりぶくぶくに太らせないでくださいね。

「スーツケースに脂肪をつめて」　わかつきひかる

私は超多忙なビジネスマンだ。たくさんの会社を経営し、世界各国を飛び回っている。
「社長、少しは運動してください。あんまり太ると身体に悪いです」

産業医はそう言うが、運動するヒマなんてあるわけない。というのはいいわけで、運動なんてしたくない。そりゃあ体重は150キロだが、別に何も困っていない。スポーツクラブなんて行く人の気がしれない。なんで時間とお金を使って、苦しい思いをしなくてはならないのだ？

スーツケースを引っ張るのも嫌で、会社の技術スタッフに頼んで、自走式スーツケースを作ってもらったほどだ。

重いスーツケースを引くことから解放された私は、ますます仕事にのめりこんだ。

ワシントンから日本に帰ろうとしていたときのことだ。

ダレス国際空港を歩いていたら、背後でがしゃんと音がした。自走式スーツケースの車輪が溝に引っかかって横倒しになっていた。

それでも私のあとをついてこようとして、車輪だけがぐるぐると回っている。なんとけなげなことだろう。

私はスーちゃんが愛しくなった。飛行機に乗るとき、追跡の信号を切って貨物に預けるのだが、スーちゃんと二度と会えなくなるのではないかと思うとどきどきする。

スーちゃんを残して私が死ぬのも怖い。スーちゃんは私を追いかけて、あてどなく走っているのではないか。そして力尽きて倒れ、粗大ゴミとして処分されるのだ。想像するだけでゾッとする。

私は出張を減らした。

事業のいくつかを処分し、家でできる範囲の仕事だけを残した。

私の今の楽しみはランニングだ。走る私のあとをスーちゃんがついてくる。それだけで、胸が弾む。わくわくと楽しくなる。体重は75キロになった。

「行くよ。スーちゃん」

私はスーちゃんに声を掛けて走り出す。スーちゃんは一生懸命に私のあとをついてくる。スリムになった私のあとをけなげについてくるスーちゃんを、夕日が明るく輝かせている。

課題30

ショートショートを書いてください。

課題30 解答例

Q1　お風呂で身体を洗うのが面倒だ。
Q2　お風呂に浸かるだけで身体を洗ってくれるバスタブがほしい。
Q3　仕事をしている女性。
Q4　気持ち良すぎて長風呂になる。
Q5　そのまま死んでしまう人がでてくる。

「羊たちの眠り」　笹川誉著

職場ではおとなしめだけど地味過ぎない、絶妙なナチュラルメイクを施して愛想笑いをする。家に帰ったら化粧を落として、身体の汗を流して、ソープをふわふわに泡立てて顔を洗って、歯を磨く。

……どうして人間は、全身を同じように洗えないのだろう？

ガソリンスタンドで車を洗うように、私の全身を自動で洗ってくれる機械があったなら、どんなに楽だろう？

私がそう言うと、みんな笑った。でもそう感じていたのは、私だけではなかったようだ。

今日、とうとう「プレグナ」が届いた。見た目は丸みを帯びたバスタブのようだけれど、もっと大きくて深い。

一緒に届いた大きなタンクからチューブを伸ばして、中の液体をバスタブの中に移していく。

この液体は、人間の全身を洗えるソープなのだそうだ。顔も、身体も、口内も――万一飲み込んでも大丈夫な成分をしているらしい。

服を脱いで、おそるおそるソープに足をつける。意を決してバスタブに身体を滑らせ、中を満たすソープに頭まで浸かった。

それは、とても不思議な感覚だった。

体温よりほんの少し温度の高い液体に全身を包まれるのは、純粋に気持ちいい。よく耳を澄ますと、シュワシュワ、パチパチという音がかすかに聞こえる気がした。炭酸が含まれているのか、汚れを落としている音なのか、どちらにしても「効いている」感じがして気分が良くなった。

バスタブの中は広く、腕や足を伸ばすこともできる。けれどもその姿勢は一抹の不安がよぎって、ぎゅっと身体を丸めている体勢が一番落ち着いた。

息が苦しくなってきて、自分がソープに浸かりっぱなしであることをようやく思い出した。慌てて顔を液体から出して、呼吸をする。

十五分ほど浸かっていればあらかた洗い終わるのだと説明書には書いてあったけれど、私がパジャマを着たのは長針が一回転した後だった。

それからの私は、あのソープに身を委

ねる時間を楽しみに生きているようなものだった。

ソープにより長く浸かっていられるように、シュノーケルを買った。リビングの真ん中にバスタブが鎮座し、帰宅するとすぐに服を全部脱いで、バスタブにソープを溜めて、ざぶんとその中に浸かる。

職場の人や友人にも、購入を勧めた。そのおかげもあってか、「プレグナ」は世界的にヒットの兆しを見せているようだった。

生暖かい液体の中で、身体を丸めて静かに呼吸する大人たちを、胎児のようだと誰かが言った。

やがて「プレグナ」に浸かったまま、静かに死んでしまう人たちが出始めて社会問題になったが、やがて沈静した。

愛想笑いや化粧という汚れを落として素のままの自分でいられることは心地良いことだから。私も、もうすぐ、生まれる前の世界に行くのだろう。

生徒さんが書いた小説です。風刺が効いていていいですね。

悪魔のささやきで小説を書こう

次は悪魔のささやきで小説を書きましょう。

悪魔のささやきは、世界中で愛されている物語のパターンです。

悪魔が「望みを叶えてやる」と誘惑し、その誘惑に乗った人は、ひどい結果になってしまって、すべてを失ってしまいます。

日本語でも、「悪銭身につかず」とか「因果応報」とか、「しっぺ返し」「身から出た錆」「過ぎたるは及ばざるがごとし」という言葉がありますね。

ズルをして手に入れたものは、やがて失う。だから、まじめにがんばりましょう。そういう教訓によるものかもしれません。

たくさんの人に愛されるお話は、時代や場所や人種に関係なくいくつも存在しています。

悪魔のささやきは、万人に愛されるストーリーパターンです。

王道中の王道なので、応用が利きます。

いろんなジャンルに展開することができるし、短編も長編も書けますよ。

はじめに星新一の小説のあらすじを紹介します。

- 「悪魔」(『ボッコちゃん』新潮文庫、1971初版、2012改版、『きまぐれロボット』角川文庫、1972初版、2006改版、所収)

起　はじめに、エス氏は湖に張った氷に穴を開けて釣りをしていた。壺を釣り上げた。

承　壺には悪魔が入っていた。封印を開けてくれたお礼に、なんでも望みを叶えてやると言われる。エス氏は金貨を出してくれと頼む。

転　悪魔は金貨を出す。エス氏は金貨を要求し続ける。

結　金貨の重みで、湖に張った氷にヒビが入った。エス氏はあわてて逃げる。氷は割れて、悪魔も金貨も壺も沈んでしまった。

- 「とりひき」(『きまぐれロボット』角川文庫、1972初版、2006改版、所収)

起　はじめに、悪魔がまじめそうな男に近づいた。

承　悪魔は勝負に必ず勝てる能力と引き替えに、死んだあとの魂を貰う契約をする。男が1を出そうとサイコロを振ると、10回続けて1が出た。

転　ところが博士が友達と一緒にやってきて、友達とトランプでもしてみたらどうかとすすめる。
結　友達は高性能のロボットには勝てるはずがないと断る。男はロボットだった。悪魔は魂のないロボットに、不必要な能力をあたえていた。

悪魔が声を掛けてくる理由はいろいろです。助けてくれたお礼に金貨をプレゼントしたり、魂と引き換えに特別な能力を与えたりします。
悪魔のもくろみはうまくいきません。一度は成功するのですが、とんでもないことが起こってしまって元の木阿弥になるか、もっとひどいことになってしまいます。
星新一が書く悪魔のささやきのストーリーパターンは次のようになります。

起　はじめに、ある人がこんな願いを叶えたいと思う。
承　悪魔と取引をする。
転　ところがとんでもないことが起こる。
結　とうとうこうなってしまった（得したことが全部損した）。

このストーリーパターンは、ギリシャ神話をはじめとして、世界各地にあります。お話を二つ紹介します。

・「ミダス王の黄金」ギリシャ神話

起　はじめに、ミダス王は神様に、彼が触れるものすべてが黄金に変わるよう頼んだ。

承　彼の触れるものみな黄金に変わり、ミダス王は喜んだ。

転　ところが、食べ物も飲み物も、すべて黄金に変わってしまう。

結　とうとうミダス王の娘、マリーゴールドも黄金の像に変わってしまい、最愛の娘を失った悲しみで王は泣く。

・「影を売った男ペーター・シュレミールの不思議な物語」シャミッソー著

起　はじめに、青年のもとに、灰色の服を着た男（悪魔）がやってきて、あなたの影と、金貨をいくらでも出せる革袋を交換しようと持ちかける。

承　青年は、お金持ちになったが、影がないため夜しか出歩くことができず、困る。

転　ところが、青年は旅先で、美しい娘と出会い、好きになる。影がないことを隠してつきあう。

結　とうとう影がないことがばれてしまった。青年のもとに悪魔がやってくる。死んだあと魂をあげる約束で影を返してもらう。

この二つのお話は、世界昔話の定番です。私は子供の頃、絵本で読みましたが、みなさんはいかがでしょうか。

悪魔のささやきは、今もたくさんのお話で使われています。

テレビドラマから紹介します。

- 「インハンド」第6話（TBSテレビ）テレビドラマ

起　ドーピング疑惑のあるマラソンランナーを紐倉博士が調べる。

承　マラソンランナーの血液検査の結果はシロ。だが、博士は違和感を抱き、高地トレーニングに同行する。

転　博士はランナーがリンパ（首）を気にすることから、悪性リンパ腫を患っていることに気づく。ランナーは遺伝子ドーピングをしていた（遺伝子ドーピングは血液検査に出ない）。運動能力に関連する遺伝子を組み換えてパフォーマンスを上げる治療法だ。ところが遺伝子ドーピングの副作用により、ターゲットとする遺伝子以外の遺伝子組み換えが起きてしまった。

結

ランナーは、レース中に倒れてしまい、意識不明になる。

紐倉博士は、ものすごく頭がいいのですが、かなり変わった人です。山下智久が演じていました。頭が良くて変人というキャラにぴったりはまっていました。遺伝子ドーピングというズルをしたランナーは悪性リンパ種になり、ボロボロの身体でレースに臨みます。

紐倉博士は聞きます。

「なぜ走る？」

「誰よりも早く走ったときの光景を見たい」

「見てこいよ。その光景」

紐倉博士はランナーを送り出します。

彼は日本最高記録を出すペースで走っていましたが、ゴールすることなく倒れました。「誰よりも早く走ったときの光景」は命を賭してまで見なくてはいけないものなのか。やるせないラストに、いろいろ考えてしまいました。

- 悪魔のささやきのストーリーパターン

起　はじめにある人が、悪魔（神様、医療技術）と出会う。（ズルをしたいと思いつく）
承　その悪魔に願いごとをし、悪魔が願いを叶える。（そのズルを実行する）
転　ところがその「願いを叶えること」は無駄だった。（困ったことが起こった）
結　とうとうこうなってしまった。

次ページの悪魔のささやきテンプレートを使い、お話を考えましょう。

Q2からQ6までの回答を並べて、肉づけしてください。肉づけのコツは、主人公の気持ちを書くことです。読者は主人公に感情移入して小説を読みます。主人公の気持ちを丁寧に書くことで、お話にリアルが生まれます。

悪魔のささやきテンプレート

Q1 叶えたい願いは何ですか？　ありったけ書き出してください。

（例　痩せたい、美人になりたい。お金持ちになりたい。猫を飼いたい。山Ｐとデートしたい。若返りたい。おいしいスイーツをたくさん食べたい。庭を花いっぱいにしたい。行政書士試験に受かりたい。強くなりたい）

Q2 Q1の中からひとつ選んでください。その願いを叶えてどうしたいですか？

（例　若返りたい。若返ってちやほやされて、楽しく暮らしたい）

Q3 Q2の希望を叶えたいと思う人はどんな人ですか？ あなた以外でその願いを叶えたいと思う人を書いてください。その人はどういう人間で、なぜその願いを叶えたいのでしょう？

（例　若くない巫女さん。神殿の中でいちばん偉い人。若いときから神に祈り、人の幸せを願って生きてきた。高齢になって、自分の幸せを叶えたいと思う）

Q4 願いを叶えてくれるのはどんな人物ですか？　医者、科学技術、悪魔、神様などの中から選んでください。

（例　神様）

Q5 その願いを叶えると、どんな困ったことが起こりそうですか？

（例　ちやほやされて楽しいが、庶民の苦しみを見て、庶民のために働く）

Q6 そしてどうなりましたか？

（例　神に頼んで、巫女に戻してもらう。巫女としての役割を理解し、庶民のために生きようと思う。巫女は、さらにいい巫女になった）

Q2　若返りたい。若返ってちやほやされて楽しく暮らしたい。
Q3　若くない巫女さん。神殿の中でいちばん偉い人。若いときから神に祈り、人の幸せを願って生きてきた。高齢になって儀式がつらい。
Q4　神様が時間を戻し、望みを叶えてくれる。
Q5　巫女さんは実家に戻って楽しく暮らす。だが、庶民の苦しみを見て、巫女になろうと決意する。
Q6　はっと気付くと、巫女さんは年老いた身体で神殿にいた。巫女さんは、初心を思い出して、さらにいい巫女になろうとする。

小説にしてみました。

「年老いた大聖女ユリアの望み」　わかつきひかる

祭壇に向かってぬかずいていた大聖女ユリアは、立ち上がるときに膝を押さえた。立ったり座ったりするとき、膝に痛みが走る。手の甲にはシミが浮いて骨張っていて、髪はもう真っ白だ。

若いときはこうではなかった。祭服よりも白い肌をして、金髪は太陽のように輝いてきた。儀式だって軽々と務めることができた。今はもう、儀式がつらい。

(あら、あの人、シャルロットだわ)

若い頃の友人が、参列者の中にいた。夫らしい精悍な男性とりりしい青年と一緒にいる。顔が似てるので息子さんだろう。

(シャルロットはいいなぁ。私がもしも聖女にならなかったら、あんな風に夫や子供がいて、幸せそうにしていたのかしら)

巫女舞を見ながら、ふうっとため息をついたときのことだった。

(その願い、叶えてやろう。幻のようなものだが、それで良いか?)

神様が言った。

(ありがとうございます。私は、選ばなかった人生がどんなものか知りたいのです)

はっと気付くと、ユリアは自分の家の前にいた。夜のとばりが降りるころで、周囲は薄暗くなっている。

手が白い。頬がすべすべだ。金髪は蜂蜜のように輝いている。

（私は若返ったんだわ！）

「ユリア、お祭りよーっ。早く行こうよ！」

若い姿をしたシャルロットが、ユリアの手をぐいぐいと引く。三十年前、聖女に選ばれる前だ。

「シャルロット、かわいい！」

「えへへ。ユリアもかわいいよ」

お祭りの会場は、かがり火がたかれ、音楽とダンスで華やいでいた。

「ユリア、そのう、踊ってくれないか？」

近所のアランだ。今はおじさんになっているが、若くて溌剌としている。

「喜んで」

手を取って踊り出す。

（そうよ。私はこれがしたかったの。若くて綺麗なときに、楽しい毎日を過ごしたかったの）

シャルロットもダンスに誘われて踊っている。

（あら）

老婆がふらふらと倒れたところが見て取れた。

ユリアは、アランの手をふりほどいて走り寄った。

「大丈夫ですか？」

「ユリア？　そんな小汚い婆さんなんてほっとけよ。踊ろうぜ」

アランがびっくりした声をあげたが、私は無視した。

「気分が悪いの？　教会に行きましょう。おんぶします」

アランがちっと舌打ちして、背中を向けた。他の女性に声を掛けて踊っている。

「あんたの綺麗なドレスが汚れるよ」

「ドレスよりも、おばあさんのほうが大事ですわ。遠慮しないで。私、若くて、力持ちよ」

「ありがとう。あんた、聖女様のようだねぇ」

胸の奥がキュッと痛くなった。

（そうよ。私は、苦しんでいる人を救いたくて、聖女になったのよ）

（聖女になったことを後悔しているか？　大聖女ユリア）

神が聞いた。

（いいえ、私は後悔していません。これからも大聖女として、神と庶民の間にたち、みなさんを幸せにするために努力しますわ！）

視界が歪む。目を開けると、神殿だった。
シャンッと鈴の音がして、踊っていた巫女たちがその場にうずくまった。
ユリアは初老の身体を白い祭服に包み、儀式の場にいる。
（私は大聖女ユリア。儀式を執り行い、皆の幸せを祈るのが私の仕事）
ユリアは錫杖（しゃくじょう）を鳴らしながら立ち上がった。

悪魔のささやきはバッドエンドが多いですが、主人公がまっとうに努力していたときは、ハッピーエンドにしましょう。悪魔のささやきを使うと、短編だけではなく長編も書けるようになります。短編は物語のある印象的な一場面を切り取ること。長編は、物語全体を書くことです。まずは短い小説をたくさん書いて、エンドマークをつける練習をしましょう。

課題31

Q1からQ6まで回答したあと、あらすじにしてから小説を書いてください。

課題31 解答例

Q2 食べても太らない身体が欲しい。
Q3 太ってる女の人。
Q4 未来の医療技術で食べても太らない身体に交換する。
Q5 ほっそりした身体になったが、食欲がすごすぎて食べてばかりいる。
Q6 「この身体、交換します」とSNSにアップする。

「この身体、交換します」白川怜夜著

興奮する身体を落ち着かせようと、はあ、はあ、と息を吐く。けれど視界は、パソコンの画面から張り付いて剥がれなかった。

ネットのオークション。

そこに、ある女性の身体が出品されていたのだった。

備考欄には【この身体、交換します】と。

この機会を逃せば、私の幸せは訪れないことは明白だった。

二〇XX年。医療は発達し、人と人との肉体を入れ替えることができるようになった。お互いの身体をいいと思うなら交換。そうでなくても、肉体を金で売買することもできる。顔やルックスは思いのまま。若い身体を買い上げて、疑似的な不老不死をしているような人間もいる。

とはいえ、肉体交換手術は保険適用外だ。一度の手術に何千万と掛かり、さらに肉体を買い上げるとなれば相手の手術費用も持ちつつ、肉体料として更に額は跳ね上がる。

ただ、目の前の画面に表示されている肉体を逃せば、今後私の幸せはないと思えるほど、理想の身体をしていた。

二十代女性。細身だが、出るところでてボンッキュッボン。顔の造形も美しく、雑誌の表紙も飾れそうなほどだ。そして極めつけはこの一文。【この身体は大食いですがいくら食べても太りません！美味しいものを沢山食べて幸せに暮らしたい人にお勧め！】と書かれている。

私はデブだ。唐揚げを食べマヨネーズを飲み、毎食三合の米を食べている。父の遺産は高額で、仕事はせず、自宅で悠々自適に暮らしている。食べることは幸せで、後悔したことはない。ただ、やはり思うのだ。大食いのまま、痩せていたい、と。

同じようなことを思う人も多いのか、画面の額はどんどん吊り上がっていく。一千万、二千万、四千万、五千万、八千万、そして――。

「一億――！」

私はついに一億で彼女の身体を勝ち取ったのだ。肉体料としては破格の高値。

しかし、後悔はなかった。この身体で、私は幸せを手に入れるのだ。

売り手の女性と、食べ放題の店で顔合わせをした。

目の前の女性は美しく、細身で、出品画像と相違ないようだった。

「今回は私の身体をご購入くださいまして本当にありがとうございます」

「いえ、いえいえ。それよりも本当にいいんですか？　こんなに綺麗な身体なのに売ってしまって」

「実は、大食いなことが恥ずかしくって……。私すっごい量を食べちゃうんですよ。この間も二キロのオムライス食べた後、パフェ三個にパンケーキ五枚食べちゃいまして。さすがにこんなに食べる女性は、恥ずかしいかな……なんて思っちゃったんです。他の人の身体なら、少しは小食になれるかと思って売りに出しました」

「そうなんですね。であれば、私の身体もあまりアナタの希望にそぐわないかも知れません。見るからにわかるかもしれませんが私も結構大食いで、毎食三合の米を炊き、その上にバター醤油を乗っけて食べたりしています」

「大丈夫ですよ。それでも私よりは小食でしょうから」

「そうですかね」

「そうですよ」

微笑む女性に疑問を感じつつ、私たちは色々と打ち合わせをしながら食事を楽しんだ。

彼女は言葉に違わず、大食漢だった。目の前で大盛のカレーライスを二杯、スパゲティ一皿、煮込みハンバーグを六点、アイスクリームを十七杯、寿司を五十六貫、フライドチキンを七つ、ドーナツを十二個、ソーセージを二十一本、肉じゃがをどんぶり一杯に、フライドポテトを大皿山盛り。その間にサラダバーの一角は消え、ドリンクバーは飲みすぎて「点検」のライトが点灯した。

私は彼女の食べっぷりに感動していた。

カレー大盛二杯と唐揚げ十七個、スイートポテト四つで早々にリタイアした私は彼女の食べるさまを存分に見ていた。

無理をしている様子はない、普通に、美味しそうに食べている。これだけ食べても太らないのか。ノースリーブの細腕が、ただひたすらに眩しい。この身体がもうすぐ、私のものになる。そう思えば、私は笑いが止まらなかった。

「お客様、終了のお時間となりましたため、ご退席の程お願い申し上げます」

「あ、もうそんなお時間なんですね」

彼女はまだ余裕がありそうな雰囲気だった。

二時間があっというまだった。ルック

スは勿論、食事のところも申し分ない。私は改めて彼女と肉体を交換したい旨を伝えた。

手術は問題なく成功し、私たちは病院の前で別れることにした。目の前には、太った醜い人間がいる。私は自分の身体を見下ろした。どこもかしこもすらっとしていて、身体が軽い。このまま飛んでいけそうなほどだ。

私はスキップしながら家に帰り、自宅の冷蔵庫を開けた。これから、どんな料理を食べようか。一人暮らしとしては大きいファミリーサイズの冷蔵庫を覗きながら、食欲の赴くまま、料理を作り、食べていく。

胃袋の限界を試してみたかったのだ。バターライスを一升炊き、十人前の親子丼を作り、野菜炒め、八宝菜、焼きそば、唐揚げ、そうめん、天ぷら、魚のお造り、チョコレート、ソフトクリーム、ハンバーグ、食べて食べて、食べまくっていく。そして胃袋の限界が来る前に、冷蔵庫の中身は空っぽになってしまった。私は感動した。この冷蔵庫を買って以来、初めて冷蔵庫の壁を見たのだ。

まだまだ食べられる。まだまだ、美味しいものが食べられる。通常、食事というものは量が多くて腹がいっぱいになれば、どんなに美味しいものでも受け付けず、無理やり食べようとするなら不味くなる。それが今回、満腹にならないから、いつまでも美味しく食べられたのだ。美味しい食事。そして美しい身体。私はついに幸せを手に入れたのだ。

そうして私は美しい身体を保ったまま、食事を楽しみ、半年が過ぎた。

ふ、と思ったのだ。この身体を手に入れてから、食事しかしていない、と。

食事は美味い。ただ、いつまでも満たされず、何をするにも食事が手放せない。料理を作る時間すら惜しく、最近はデリバリーや取り寄せ品ばかりだ。前の身体の時はどうだったか。

食事をし、満腹になれば、横になり、テレビを見て、インターネットでくだらないゴシップや陰謀論をかき集めた。今はどうだ。食事をし、排泄し、寝て、起きて、食べるだけの生活だ。こんなに美しい身体を持っているのに、生活から人間的文化は立ち消え、畜生と化している。

これが私の欲しかった幸せなのか、と。

私は急に恐ろしくなった。そして人間的生活を取り戻そうと、外に出てショッピングでもしようとした。しかし、駄目だった。食べていない時間が、腹が減って仕方がない。腹が鳴り、胃が食事に飢えぎゅうぎゅうと収縮する。こんな状態で、何かを楽しめるわけがない。街行く人々が、私を「綺麗な人だ」とささやく声がする。けれど、そんなことはどうだってよかった。私は腹を押さえながら、手近なレストランに入り、スパゲティ大盛を食べて、ひとまず落ち着いた。そして店を出て、またウィンドウショッピングをする。

しかし二十分もすれば、また腹が鳴り、何かを食べずにはいられなくなるのだった。

私は以前の身体の持ち主に連絡をとった。

「身体を返品させていただけませんか？　こんな身体、もう嫌です！　何を食べても、お腹がすいてたまらない！　生活ができない！」

涙声で訴える私に狼狽えることはせず、彼女は冷静に受け止めた。

「ええ、大丈夫ですよ。ただ、手術代は勿論あなた持ちですし、私のこの肉体料もまた一億、払っていただけるのであれば」

「……一億」

私は呆然とした。目の前の彼女は醜く、太っている。この身体に一億も払い、さらに手術費用も持つなんて考えられなかった。

「一億、ですか。さすがにその身体にその額はないでしょう？　もう少しお安くしていただいても」

「一億、です。じゃないと交換しません」

彼女はきっぱりとした口調で言い、折れそうにはなかった。

「それよりも、もっといい方法があります。その飢える身体を手放して、尚且つあなたも、この身体を手に入れた際に失ったお金を取り戻す方法が――」

彼女が優しい顔でそう言った。


私の目の前には、醜く太った女性が。

「今回は私の身体をご購入くださいまして本当にありがとうございます」

「いえ、いえいえ。それよりも本当にいいんですか？　こんなに綺麗な身体なのに売ってしまって」

「実は、大食いなことが恥ずかしくって――」


生徒さんの作品です。なかなかおもしろいでしょう？

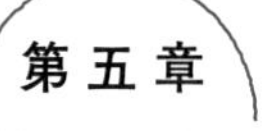

投稿

投稿前のひと手間で大賞受賞

小説を書き上げた方は投稿しましょう！

賞金狙いなら地方文学賞、デビューを狙うなら出版社主催の新人賞がおすすめです。

意外と知られていないことなのですが、応募規約違反をしたり、枚数オーバーしていたり、締め切りに遅れたり、明らかなジャンル違いを送ったりすると、審査されずに不採用になります。

私は選考委員を長くしていたのですが、一次選考でも最終選考でも、明らかなジャンル違いや枚数オーバーは読んだことがありませんでした。

ところが、添削で、一次選考で落ちた作品を読ませて頂くと、枚数が多かったり、ジャンルが違っていたりして、これは読むまでもなく不採用だ、という作品が多いのです。

編集者に聞いたところ、新人賞の投稿作のうち一割から二割は、応募規約違反で不採用になっているそうです。

名前や住所が書かれていない作品や、締め切りのあとで到着する小説もあるそうです。

こういう小説は開封せずにゴミ箱に捨てるそうです。

編集者は事前にページ数やジャンルのチェックをして、新人賞の趣旨に合っているものだけ、一次選考者に渡しているのですね。

選考にはお金がかかります。私が一次選考者をしていたときは、1作の審査に2000円支払われました（今は4000円になっているそうです）。経費節減のためでしょう。読むまでもなく落選の小説は、選考委員に回すまでもないということでしょう。

選考対象外で落選なんて悔しくないですか？　応募規約を守り、締め切りに間に合うように送っていたら受賞していたかもしれないのに、一生懸命に書いた小説が誰にも読まれることなくゴミ箱行きなんて悲しいですよ。

投稿前にチェックしたほうがよい点は、小説の書き方本にはほとんど載っていません。当然のことだから、説明するまでもないということでしょう。

投稿前に注意してほしいところを書いておきます。みなさんもしっかりチェックして、審査対象外にならないようにしてください。

400字詰め原稿用紙10枚は、4000文字ではありません

小説の新人賞は、400字詰め原稿用紙300枚以内とか規定があります。

原稿用紙と指定されている場合は、20字20行設定で300枚以内という意味です。

添削をしていると、枚数オーバーの小説がとても多い。一次選考落選の理由を教えてほしいという依頼の半分ほどが枚数オーバーです。

それも、数行どころではなく、1・5倍ほどの量になっているのです。

私は不思議でした。どうしてなのかわかりませんでした。

「枚数オーバーです。選考対象外です」

とメールしたら、

「規定の枚数で書いています」

と返事が来るのです。

「400字詰め原稿用紙10枚って4000字ですよね?」と質問されて、ようやく理由がわかりました。

最近のワープロソフトは字数が出るので、その数で考えていらっしゃるようなのです。

400字×10枚＝4000文字ではありません。

20字20行で設定して10枚という意味です。文頭の一字下げや、改行のあとの空白のマスなども含まれますので、原稿用紙1枚あたりの字数は、320文字前後になります。

必ず20字20行で設定して原稿用紙換算枚数を割り出しましょう。

略歴は病歴ではありません

略歴のところに入院歴を書く人がいます。略歴は病歴ではありません。新人賞はかわいそうな人を選ぶコンテストではありません。マイナスのことは書かなくていいです。プラスのことだけ書きましょう。投稿は採用試験です。普通の人は、最終学歴と現在の職業だけでいいですよ。

アイドル歌手だの皇族だの政治家だの弁護士だの、ウリになるものがある人は書いてくださいね。

応募歴は落選歴ではありません

応募歴のところに、一次選考落選を書き並べる人がいます。

これはやめておいたほうがいいです。マイナスのことは書かなくていいです。一次選考落選が十個ほども並んでいたら、編集者は選考委員に渡さずに不採用にしますよ。

10年前の最終選考通過も書かないほうがいいでしょう。10年間もデビューできなかったのかと思われます。

書くなら、過去2年以内の最終選考通過だけにしましょう。

そうアドバイスすると、10年前の最終選考通過は実力の証明だ、コンスタントに小説が書ける作家が採用されるのではないか、と返されました。

それは誤解です。

選考委員も編集者もまっさらな新人を発掘したいのです。勢いのある大型新人がほしいのです。10年デビューできないセミプロよりも、はじめて小説を書いたのに無茶苦茶おもしろくて大売れする作家がほしいのです。

将棋歴30年のアマ2段よりも、将棋歴一ヶ月アマ2級に可能性を感じるのが選考委員という生き物なのです。

年齢は正直に書きましょう

投稿のさい、略歴のところに年齢を書かない人がいます。高齢だとデビューできないと思っていらっしゃるようです。

30年ほど前の新人賞では年齢フィルターがありました。高齢者は年齢だけで選考対象外にして、未熟でも可能性を感じる若い人をデビューさせ、編集者が鍛えて一人前にしていました。

ですが、10年程前から、50代、60代でデビューする方が増えてきました。

しかも、高齢デビューの作家さんの多くが売れています。現在、年齢フィルターはなくなっていると言っていいでしょう。

理由は出版不況です。昔は編集者の多くは正社員でしたが、非正規化が進み、フリー編集者や契約社員、編集プロダクションが多くなってきました。

大手出版社のデスク（副編集長）でも、契約社員だったりします。

「わかつき先生、僕、来月で退社します」

「びっくりしました。急ですね」

「僕、契約社員だったんですよねー」

みたいな電話を受けるようになったのも10年ほど前のことですね。

契約社員は2年契約で、ヒット作を出したら正社員登用といった条件で働いています。

そんな彼らにとって「若い人を鍛えて一人前にさせる」余裕なんてないのです。

3年後のヒット作よりも、半年後のヒット作がほしいのです。

今は年齢がマイナスにならないので、正直に書きましょう。

ノンブルをつけてください

ノンブルというのは、ページ数のことです。ノンブルがない方が、たまにいらっしゃいます。必ずノンブルをつけてください。

私が下読み（一次選考者）をしていたときのことです。

応募作を読んでいて原稿を落としてしまいました。綴じてあったダブルクリップが外れて、原稿が散乱しました。

ところがその原稿にはページ数がなかったのです。あわてて拾い集めたのですが、元通りにすることができず、困って編集者に電話をしました。

「捨ててください」

「え？　捨てるんですか？」

「応募規約でノンブルをつけるように指定しています。守らなかったほうが悪いです」

予選通過作だけを封筒に入れて送り返し、落選作は捨てるようにと言われていました。

落選にしろというのですね。

おもしろい小説だったのに、申し訳なかったです。

添削を始めてびっくりしたのですが、ノンブルをつけない人がとても多い。

ワープロソフトの一太郎は自動的にノンブルがつくのですが、Ｗｏｒｄをご利用の方は、設定をしないとノンブルがつかないのですね。

規約通りにノンブルをつけてくださいね。

あらすじはあおり文句ではありません

新人賞に作品を投稿するとき、あらすじ（梗概）をつけろと規約で決まっているところがほとんどです。400字だったり800字だったり、1200字だったり、応募先によっていろいろですが、このあらすじを適当に書いている方がとても多い。

おそらく小説を書き上げたことに安心して、締め切りぎりぎりにあわてて書いていらっしゃるのでしょうね。

「さて、ヒロインの運命は⁉」で終わっている方がたまにいらっしゃいます。選考委員をあおっても、評価は高くなりませんよ。

あらすじは荒い筋道なので、最後のオチまで書くべきです。

出版社はなんのためにあらすじを書かせるのでしょうか？

編集者が事前に賞の趣旨にかなっているかどうか、チェックをするため。

選考委員が投稿者の文章力や作劇力を測るため。

繰り返しになりますが、編集者が事前にチェックして、賞の趣旨にかなうものだけ、一次選考者に渡しています。

選考委員としても、あらすじを読むと、いろいろなことがわかります。文法、起承転結、キャラ立て、あらすじと冒頭1枚目を読むだけで、通過か落選かわかります。

最後まで読んでも、あらすじを読んで覚えた感触は変わりませんでした。

長編の内容を800字にまとめるというのは、かなりの文章力が必要になるんですね。

私が一次選考者をしていたとき、私が読んだ中からは受賞作が出ませんでしたが、受賞作が出た作家仲間（選考委員仲間）は「受賞すると思っていた。あらすじがおもしろかったもの」とおおはしゃぎでした。

（自分が見つけた作家が売れっ子作家になって、「〇〇はワシが見つけた」と自慢したいのが、選考委員という生き物です）

あらすじの善し悪しは評価に直結します。あらすじも丁寧に書いてほしいものです。

次ページに、私がフランス書院ナポレオン大賞を受賞したときのあらすじを載せています。指定は800字でした。

「可菜のドキドキ恋物語」（出版時タイトル「いもうと。 SWEET&BITTER」）

石原可菜はバレンタインデー用のチョコクッキーを作っていた。大好きな体育教師の湯沢先生にあげるためだ。

うまく焼くことができず、お菓子作りの本を買いに行った本屋で、幼馴染みの佐伯徹と出会う。

朝のバスで痴漢に遭って泣いていた可菜を、徹が助けてくれたのだが、可菜は大好きな湯沢先生に知られることが恥ずかしくて、「痴漢なんてされていません」と叫んでしまった。そのことを徹に謝罪すると、徹と一緒に登下校することになった。

コンビニに行った帰り、朝の痴漢男に襲われそうになってしまう。徹に助けてもらうことができるが、怖くなった可菜は逃げ帰ってしまう。

ショックを受けて家に戻ると、湯沢先生と姉がいた。教師の二人は職場恋愛をしていて、結婚するつもりだと言う。

ヤケになった可菜は、徹に「エッチしよう」と言い出す。怒った徹に怖い目に遭わされる。

可菜は徹に事情を説明する。ライバル心を抱いていた姉が、可菜がずっと好きだった湯沢先生と結婚する。「お姉ちゃんは私の欲しいものを全部取る。お姉ちゃんはずるい」「石原は石原だろ。石原先生（姉）のことなんて気にするな。俺は石原が好きだよ」と言われて、真っ赤になる。

バレンタインの日、チョコレートクッキーを徹にプレゼントし「私も好き」と言う。そして、校庭を走っている湯沢先生にチョコクッキーをボール状に包装したものを投げ渡す。

「結婚おめでとう！　石原先生（姉）と幸せにねーっ！」

学校中が大騒ぎになるが、可菜は徹と一緒に、廊下に座り込んで笑っていた。


私のあらすじも、たいしたことは書いてませんが、ラストのオチまで書いているところは偉かったなと思います。

キャッチコピーではなく、お話の荒い筋道をわかりやすく書きましょう。

あらすじを書く練習をしましょう。初心者はあらすじを書くと長くなります。長くても良いのです。ストーリーの枝葉の部分（幹と違うところ）を削りましょう。

長く書いて削っていく練習をすると、あらすじが上手になりますよ。８００字であらすじを書いて、次に400字にする。さらに200字に削る。そうやって削っていくと、最後にログラインが残ります。

課題32

「走れメロス」を800字のあらすじにしてください。

課題32 解答例

起

牧人であるメロスは、妹の結婚式のためにシラクス市までやってきた。妹の婚礼衣裳や祝宴の御馳走やらを買い、友人のセリヌンティウスに逢ってから帰ろうと思っていたところ、ディオニス王が暴虐の限りを尽くしていることを知り、王に諫言(かんげん)をしようとして捕らえられる。

承

メロスを殺すという王に、妹の婚礼のために村に帰りたい。代わりに友人のセリヌンティウスを捕らえてくれ。三日後に必ず戻ってくる。もしも戻らないなら、私の代わりに友人を殺してくれと訴える。

王は、「遅れてやってこい。おまえの友人を殺し、おまえを無罪にしてやる」という。

メロスはセリヌンティウスと別れを惜しんでから村に戻る。

結婚式を今日挙げてほしいというが、妹も花婿も困惑する。

それでも、翌日挙式をして、楽しい時間を過ごすことができた。

転

酒を過ごし、昼頃起き出したメロスはあわてて村を出るが、殺されるために走ることに悲しくなる。途中、増水した川に行く手を阻まれる。メロスは溺れそうになりながら川を渡る。

ようやくのことで川岸に到着したメロスに、盗賊が襲いかかってくる。ディオニス王のしわざだった。

メロスは盗賊を撃退したが、倒れて起き上がることができなくなってしまう。失神していたが、渾身の力を振り絞って起き上がり、夕日に向かって走る。

結

ようやくシラクス市に入ったメロスは、よろよろになっていた。夕日は今にも落ちそうだった。セリヌンティウスの弟子のフィロストラトスが「無理だ。もう、間に合わない。そんなに死にそうになりながら走ることはない。休んでくれ」と言うが、メロスはボロボロになりながらも走る。

夕日の中を走り、処刑場に到着すると、セリヌンティウスは磔にさせられるところだった。メロスは「今来たぞ。私を処刑しろ」と叫ぶ。セリヌンティウスは磔台から下ろされ、友人たちは抱き合う。

王は感動し、自分が間違えていたといい、処刑をとりやめる。

課題33

「走れメロス」を400字のあらすじにしてください。

課題33 解答例

起　メロスは、妹の結婚式のためにシラクス市までやってきた。ディオニス王が暴虐の限りを尽くしていることを知り、王に諫言をしようとして捕らえられる。

承　メロスを殺すという王に、妹の婚礼のために村に帰りたい。代わりに友人のセリヌンティウスを捕らえてくれ。三日後に必ず戻ってくる。もしも戻らないなら、私の代わりに友人を殺してくれと訴える。

転

メロスは村に帰り、妹の挙式をする。

翌日、メロスは村を出る。増水した川に行く手を阻まれたり、盗賊に襲われたりするが、メロスは走る。

結

ボロボロになりながらもシラクス市に到着する。夕日の中を走り、処刑場に到着すると、セリヌンティウスは磔にさせられるところだった。「今来たぞ。私を処刑しろ」と叫ぶ。セリヌンティウスは磔台から下ろされ、友人たちは抱き合う。王は感動し、自分が間違えていたといい、処刑をとりやめる。

課題34

「走れメロス」を200字のあらすじにしてください。

課題34 解答例

起　メロスは、ディオニス王が暴虐の限りを尽くしていることを知り、王に諫言をしようとして捕らえられる。

承　メロスを殺すという王に、妹の婚礼のために村に帰るが三日後に戻ってくる。もしも私が戻らないなら、友人のセリヌンティウスを殺してくれと訴える。

転　村に戻り挙式をしたメロスは、市に向かって走るが、増水した川に行く手を阻まれたり、盗賊に襲われたりする。

結　ボロボロになりながらも処刑場に到着すると、王は感動し処刑をとりやめる。

課題35

「走れメロス」のログラインを書いてください。

課題35 解答例

自分の身代わりとして処刑される友人を助けるために、メロスが走る物語。

タイトルを印象的に

一次選考者をしていたとき、私は五分で採用不採用を決めていました。タイトルを見て、あらすじを見て、冒頭と最後のページを軽く読んで、ぱらぱらと原稿をめくると、小説のレベルがわかるのです。もちろん最後まで読むのですが、はじめの五分で決まった心証は、覆ることはありませんでした。

タイトルだけでおもしろそう、読んでみたい、と思えるものが理想ですが、実は私はタイトルをつけるのが苦手です。

私の商業出版物は百五十冊ほどですが、私がタイトルをつけた小説は数冊しかありません。ほとんどすべてを、担当編集者がつけました。

なので、タイトルのつけ方は、市販の小説から紹介します。八通りあります。

印象的なキーワードをタイトルにする

小説を象徴するキーワードをそのままタイトルにするやり方です。

「苦役列車」「機龍警察」「夜行観覧車」「仮面病棟」「呪術廻戦」「無職転生」「騎士団長殺し」「ビリギャル」「羅生門」などがあります。

逆の意味のキーワードを二つつなげる

「○○の○○」と書くやり方です。同じ意味の単語をつなげるのではなく、逆の意味、あるいはまったく関係のない単語をつなげると印象的なタイトルになります。

「永遠の0」「八日目の蝉」「炎の蜃気楼（ミラージュ）」「処刑少女の生きる道（バージンロード）」「明日の記憶」などがそうですね。

0は何もないことの自然数であり、0が永遠になるって何だろう？　と思います。読んでみたい！　と思わせるタイトルですね。

処刑と生きるというまったく逆の言葉をつないでいるのが「処刑少女の生きる道（バージンロード）」。しかもバージンロードとルビを振っている。いいタイトルだと思います。

似ているキーワードを二つつなげる

「××と××」と書くやり方です。「と」でつなげる場合は、似ている言葉を持ってきましょう。「花子とアン」「乳と卵」「爪と目」などがありますね。

私がつけたタイトルでは「ニートな彼とキュートな彼女」。いいタイトルをつけることができたな、と思っています。

文章にしてしまう

ウェブ小説でよくあるパターンです。「乙女ゲームの破滅フラグしかない悪役令嬢に転生してしまった…」「転生したらスライムだった件」。ライトノベルにも多いですね。「七つの魔剣が支配する」。一般小説だと「色彩を持たない多崎つくると、彼の巡礼の年」「魔術はささやく」などがあります。

タイトルで否定する

文章タイトルの派生ですが、「〜は〜でない」と否定してしまうのも、印象的なタイトルになりますよ。「作家で億は稼げません」「俺の妹がこんなに可愛いわけがない」。どうです？　読みたくなりませんか？

タイトルで問いかける

同じく文章タイトルの派生です。私が書いたライトノベルで、「ありすさんと正義くんは無関係ですか?」というのがあります。これは編集者がつけてくれたタイトルです。私がつけたタイトルは「不思議ちゃんと陰気くん」。私の案だと売れそうにないですね。

「あの綺麗な先生よりも私がいいの?」「こんな可愛い許嫁がいるのに、他の子が好きなの？」「ダンジョンに出会いを求めるのは間違っているだろうか」「ＵＳＪのジェットコースターはなぜ後ろ向きに走ったのか？」なども問いかけタイトルですね。

タイトルで命令する

こちらも文章タイトルの派生です。実用書に多いです。

「文章を仕事にするなら、まずはポルノ小説を書きなさい」は私の書いたノウハウ本ですが、担当者がつけてくれました。いいタイトルだと思います。実用書は断定タイトルが多いですね。「誰もが人を動かせる！あなたの人生を変えるリーダーシップ革命」「交渉は「ノー！」から始めよ―狡猾なトラに食われないための33の鉄則」「走れメロス」。

台詞をタイトルにする

「お兄ちゃんだけど愛さえあれば関係ないよねっ」「いま、会いにゆきます」「俺を好きなのはお前だけかよ」「わたし、二番目の彼女でいいから。」。恋愛ものに多いですね。

みなさんも、タイトルだけで「おもしろそう！　読んでみたい！」と思わせるようにしてくださいね。

冒頭に死体を転がしていますか？

繰り返しになりますが、選考委員は、タイトル、あらすじ、冒頭と最後のページを読んでから、中身をぱらぱらと見て落選か選考通過か決めます。

中身を読むのではなく「見る」のは、小説の文章になっているかのチェックです。文法は正しいか？　描写はあるか？　視点は統一されているか？　人称の混乱はないか？　原稿用紙の使い方が守られているか？　主語を省略していないか？

文章の善し悪しはぱっと見たらわかります。一分でわかります。小説の文章になっていないとわかりにくくて読みづらいのです。

この本の課題に取り組んで頂いたみなさんは、文法は正しいはず。あらすじとタイトルについてもブラッシュアップして頂いているはずです。

不採用の小説は、冒頭が退屈です。動きがなく、事件が起こらず、主人公の名前も性別もわからず、ここがどこかもわかりません。

冒頭を書き直してから投稿しましょう。

冒頭の原稿用紙1枚分で、してほしいことは次の二つです。

- 事件からはじめる。
- 登場人物の紹介をする。

「まぎわのごはん」という小説から冒頭を紹介します。冒頭の2ページほどで、事件を起こし、登場人物の名前、職業、状況や季節まで、すべて紹介しています。

もうひとつ、私の小説「エルフ嫁と新婚スローライフ」から冒頭を紹介します。冒頭の2ページほどで、登場人物の名前、職業、状況、これから何が起こるかまで、すべて紹介しています。

冒頭に力を注いでくださいね。

鈍い音とともに、アスファルトに打ち付けられた右肩に衝撃が走る。

突然の出来事に、赤坂翔太(あかさかしょうた)は為(な)す術(すべ)もなく地面に横転した。しばらく、自分の身に何が起こったのかすら理解できなかった。

真っ黒な空からしんしんと降り注ぐ雪が、視界を覆う。その雪のあまりの冷たさに耐えかねて体を起こすと、右肩の痛みがズキリと体中に広がり、思わず呻(うめ)いた。

受け身も取れず、相当強くぶつけたようだ。

利き腕の右手は商売道具だっていうのに、何かあったらどうしてくれるんだよ。ようやく状況を理解した翔太の心には、フツフツと怒りがこみ上げてきた。

顔の雪を拭い、目の前の人物を睨(にら)みつける。

視線の先には、いましがた「てめえなんてもう来なくていい！　出てけ！」と怒声をあげた筋骨隆々の男が、仁王立ちで翔太を睨みつけていた。相当の怒りをぶちまけたのだろう、その息はまだ荒い。調理用白衣の前掛けからは、翔太を蹴飛ばした足が大きくはみ出ている。

翔太は、文字通り店から蹴り出されたのだ。

「なにすんだよ！　兄(にい)さん」

「もう俺はてめえの兄弟子でも何でもねえ。クビだって言っただろ！　面(ツラ)も見たくねえから、さっさとどっかに行っちまえ」

名前

職種

気性・仕事への想い

職業・勤務地・体格
（蹴り出され、為す術もなく地面に横転）

職業・衣服外見

職位・立場・人間関係

置かれた状況

『まぎわのごはん』藤ノ木優／小学館（2021）

アルスは肩を落とし、足を引きずるようにして歩いていた。

トゥニカにズボン、革の兜に革鎧、足にブーツ、革の手甲、背中に大剣を斜め掛けしている。

大剣はマントで包んで、目立たなくしている。

服装は勇ましいのだが、アルスはよろよろになっていた。

竜と戦った際にできた傷がじんじん痛い。

背中の剣がことのほか重いのは、パーティの仲間が全員死んでしまったということもあるのだろう。

葬儀は、生きている人間の気持ちの区切りだと葬祭業者は言ったが、弔いを終わらせてなお、前を向いて歩いていこうとは思えない。

――竜殺しの英雄、アルスだよ。

――勇者様のお通りだ。

――自分だけいい思いをしやがって。

――あいつのせいで俺たちがこんなに苦労しているんだ。

白い目が注がれる。

視線がちくちくと痛い。

竜殺しの英雄アルス。

望んで手に入れたはずの二つ名なのに、こんなに非難されるなんて思わなかった。

名前
境遇
外見
職業
外見（さりげなく境遇も）
職種・健康状態・最近の出来事
立場・異名・強さ
属性・性別
境遇
生い立ち
価値観

『エルフ嫁と新婚スローライフ』わかつきひかる／フランス書院（2016）

ウェブから応募するときの注意点

最近はウェブから応募できる新人賞も増えてきました。
ファイル形式は応募先によっていろいろです。ＰＤＦ（pdf）やＷｏｒｄ文書（doc,docx）、テキスト（txt）など。必ず指定に従って保存してください。

データで小説を拝読するとき、文字化けを起こしている方がいらっしゃいます。「嚙む」など、旧字体の文字は、「？む」と表示されている方がいますよ。確認してから送ってほしいです。

最後まで気を抜かずにチェックして投稿してください。

印刷して投稿するときの注意点

文章の周りを黒い枠線で囲む人がいます。黒い縁取りがある印刷物、それは訃報です。死亡のお知らせです。

一次選考者をしていたとき、これが一番嫌でした。黒い枠線の引かれた小説は、不吉なオーラを放っています。触ると手が汚れそうでした。しっかりと手を洗っても、気持ち悪さはしばらく収まりませんでした。

編集者が事前チェックしてから渡してくれるのですが、たまに漏れが発生するのですね。横書きで印刷するのもやめてください。小説は研究レポートではありません。

必ず右上を応募規定通りに綴じてください。

ダブルクリップで留めるよう指定してある新人賞と、綴じ紐で綴じるところがあります。綴じ紐をリボンやお菓子の紐で代用される方がいらっしゃいますが、めくりにくいんですよ。必ず綴じ紐を使ってください。１００円ショップで売っています。

封筒の表書きに、御中をつけてください。

「レターパック」で送る人は、ご依頼主のご、おところのお、お名前のお、様を二重線で消してください。これらはビジネスマナーです。

作家が無頼であっても許されたのは昔の話です。ビジネスマナーは守ったほうがいいですよ。

レターパック

ご依頼主
From
おところ:
Address
おなまえ:
Name
様
電話番号:
Telephone Number ( )
品名:Contents Description 品名の記載が無い場合または内容品によっては、配達が遅れる場合があります。
Without a description or depending on the contents, delivery could be delayed.
現金を送ることはできません。
「レターパックで現金送れ」はすべて詐欺です。
最寄りの警察(電話番号は#9110)にご相談ください。
Cannot be used to send cash. Please be careful about fraud.
書類

品名は書類でOKです。

二重線で消して下さい。

日本郵便からみれば差出人もお客さまなので、ご依頼主欄が「おところ」「おなまえ」「様」となっているのです。

終わりに

私が自分の小説教室を、小説技術をお教えする教室にしようと考えたのは、習い事をしたことがあったからです。

日舞は三ヶ月でやめたのですが、立ち方や扇の開き方、視線から曲の意味まで、丁寧に教えて頂けました。

茶道では歩き方、ふすまの開け方、お辞儀の仕方からスタートします。

華道は型にあわせて生けるところから始まります。はさみの持ち方、お花の表と裏の見極め方、細かく教えてもらえます。猫を飼い始めてからお花を生けることはやめたのですが（猫には花が毒になるから）40年以上続けました。

少林寺拳法も、いきなり戦ったりしません。走ったり筋トレしたり柔軟体操をしたりしてから、姿勢、力の入れ方、力の抜き方、握りこぶしの作り方、突き蹴りのやり方、運歩（足の運び方）など、ひとつひとつ指導して頂きました。

少林寺拳法では演武を何回も繰り返します。運用法（防具をつけて戦う）は黒帯になってからでした。

それなのに、小説教室だけが、柔軟体操もはさみの持ち方も足の運び方の指導もなく、いきなり書くことを要求され、合評会では先生でもない人たちにいっせいに欠点を指摘される。それでは生徒さんが大変すぎます。

私は合評会形式の小説教室はすぐにやめました。欠点の指摘ばかりでギスギスして雰囲気が悪くて嫌だったのが理由です。

欠点を削れば、個性までも消えてしまい、なんのおもしろみもない小説ができてしまうことに気がついていたのかもしれません。

私は私の教室を、小説の技術を教える場にしようと思いました。

華道の先生のように、はさみの持ち方から教えて、褒めて、楽しく小説を書いて頂こう。そう考えました。

ですが、技術を教える教室だと、書いた小説を読んで指導を仰ぐという、小説教室のいちばん大きな役割ができない。ですので私は、生徒さんの作品は、私がお預かりして拝読して添削しています。

添削は、時間もかかるし大変なのですが、生徒さんがどんどん上達されるのが楽しくてなりません。

私は二流の作家です。新人賞は三つ取ったし、売れたこともありました。ジュブナイルポルノの女王と言われたこともありました。ですが、大きな賞とは無縁のままでここまで来ました。

私のようなベテラン作家の役割は、小説を書くことの楽しさを伝え、私が身につけた技術をこれからの作家さんにお渡しすることだと思っていて、YouTube等での発信を続けています。

この本を読んで、「小説を書くのなんて簡単じゃないか」と感じて頂けたらうれしいです。小説を書くのは楽しいですよ！　楽しいことをしてお金が儲かるなんて最高じゃないですか？

みなさん、楽しく小説を書きましょう！

最後になりましたが、雷鳥社のみなさん、バンタンゲームアカデミー大阪校の越智先生、生徒のみなさん、デザイナーさん、校正者さん、流通会社のみなさん、トラック運転手さん、書店員さん、この本の出版にお力添えを頂きました全ての方にお礼を申し上げます。

END

わかつきひかる

キャリア26年の小説家。

ジュブナイルポルノ、ライトノベル、時代小説などを書くかたわら、専門学校で小説の書き方を教えたり、奈良で小説教室を開いたりしている。

- YouTube「わかつきひかるの小説道場」
https://www.youtube.com/channel/UCMPxcLSOjZnM9P5w7CYB7yQ
- わかつきひかるホームページ
http://wakatukihikaru.com/index.html

ツイッター　https://mobile.twitter.com/Wakatuki_Hikaru
ブログ　https://plaza.rakuten.co.jp/wakatukihikaru/
note　https://note.com/wakatukihikaru

「悪魔のささやき」で書く短編小説

2023年2月23日初版第1刷発行

著者　わかつきひかる
発行者　安在美佐緒
発行所　雷鳥社
〒167-0043　東京都杉並区上荻2-4-12
TEL 03-5303-9766／FAX 03-5303-9567
http://www.raichosha.co.jp／info@raichosha.co.jp
郵便振替　00110-9-97086

カバーイラスト　市村譲
本文イラスト　西田祐子
デザイン　平本祐子
協力　小林美和子
越智郁也
仁田脇桃花　平田武　甲下菜穂子　出原園子
原山崚史　小宇坂公路　小山慶人　木村美紀
河合綾音　白川怜夜　宮本勇斗
印刷・製本　シナノ印刷株式会社
編集　庄子快

ISBN 978-4-8441-3792-4 C0090